クボタスピアーズ 船橋・東京ベイ選手メッセージ

ラグビーIQを高めて上達を目指せ！

タグラグビーやミニラグビー、ジュニアラグビーでプレーするラガーマンに、クボタスピアーズ船橋・東京ベイの3選手がラグビーを上達するための考え方や取り組み方をアドバイスしてくれた。メッセージをしっかり読んでラグビーIQを高めていこう！

ポジション：スタンドオフ、センター
身長／体重：181cm/94kg
クボタスピアーズキャプテン、
日本代表56キャップ

立川理道選手

　私は兄の影響で、4歳からラグビーを始めました。その頃から今まで「ラグビーが楽しい」と思う気持ちは変わっていません。それは幼少期の頃からコーチや仲間に恵まれた影響だと思います。

　ラグビーの正しいスキルを理解し、実践することができれば、ラグビー選手として成長し、よりラグビーが楽しくなります。また、ラグビーに怪我は付き物ですが、正しいスキル指導を受けることで、そのリスクは減ります。

　本書に掲載されている内容は、普段私たちがチームで練習している内容の基礎となる部分です。この本を手にした子どもたちが、正しいスキルを身に着け、大きな怪我をせず、いつまでもラグビーを楽しんで、選手として一人の人間として成長してくれることを期待します。

ポジション：フランカー
身長/体重：189cm/106kg
2019年ワールドカップ日本代表

ピター"ラピース"ラブスカフニ選手

　私がラグビーを始めたのは、7歳くらいのときです。ラグビーは常に楽しくて、なかなか終わりが見えないエンターテイメントです。

　今でもその気持ちは変わりません。むしろ、ラグビーという素晴らしい競技をやらせてもらっていることに感謝しています。ラグビーは私に良い価値観を教え、長年にわたって貴重な教訓を得ましたが、それ以上に重要なのは、多くの新しい人々と出会い、本当に良い友人を作る扉を開いてくれたことです。

　基本的なスキルは、あなたの安全を守り、すべての行動のベースとなる重要なものです。基本的なスキルが欠けていると、より高度なスキルを習得することはできませんし、プレッシャーの中でスキルを発揮できないことは言うまでもありません。

　大きな夢を持って、すべての瞬間を楽しんでください！

ポジション:ウイング、センター、フルバック
身長/体重:175cm/87kg
2021-22リーグワンベスト15、新人賞、ベストラインブレイク、2022年日本代表デビュー

根塚洸雅選手

　私は、5歳くらいからラグビーをしていました。昔から走るのが好きで気づいたらラグビーにハマっていました。
　今も昔も変わらないことは、「学ぶ姿勢と自分が楽しむこと」だと思っています。
皆さんも、自分が上手くなっていくことに楽しみを覚えてラグビーにハマっていって欲しいです。
　上手くなるためには、基礎が本当に大切です！僕は基礎のスキルが下手くそなので今も苦労しています。笑
　この本には、基礎となるプレーや考え方がたくさん載っているので、読んで自分で試してどんどん上手くなってください！

この本の使い方

この本では、ラグビーに取り組む育成世代の選手たちが、いかに「考えてプレーする」や「考えることでプレーの質を向上する」ことを目的としている。各ページにある「IQ」というテーマに対して、図解の状況を理解した上で、次のプレーの選択をイメージする。導き出される「チャレンジ」という解答を参考に自分のプレーに役立てよう。

基本的な技術はもちろん、試合で使える応用テクニックをクボタスピアーズの選手たちが解説している。ラグビー選手にとって必要な考え方(IQ)に加えて、実践できるテクニックもしっかり身につけることができる。

最初から読み進めることが理想だが、「ここが気になる」「どうしてもマスターしたい」という項目があれば、そこだけをピックアップすることも可能だ。

※イラストはフィールド状況を略図化したものです。競技ルールやフィールドのサイズについては、大会や試合ごとに確認ください

タイトル
IQとして出題されたテーマに対して考えてみよう。各選手のポジショニングやボールの状況を把握して次のプレーを考える。

ヒント 状況に応じたディフェンスの役割を理解

ラックになり、フォワードの選手がボールを出そうとしている。ボールをピックした選手は、外に展開することはもちろん、自分でボールを持って突破してくることがある。

このときディフェンスチームは、人数が揃っており、どのようなアタックにも対応できるポジショニングと…

しかしボールからの距離…それぞれの選手の準備に違い…ABCに位置する選手の「姿…みよう。各選手のディフェ…を理解することがポイント…

解説文
テーマについての詳しい状況や基本的な考え方を解説している。「ヒント」をチェックすれば、より次のプレーがイメージしやすい。

図解
ラグビーのルールは年代…テゴリーによって変わる。…の人数にも違いがあるため…解で示している部分から考…みよう。

> **POINT・チャレンジ**
> テーマに対して考えられる次のプレーの選択肢を提示している。自分の考えと合致しなくても心配無用。IQとして取り組むことで、選手としてのプレーの幅を広げることができる。

POINT ①
低い姿勢から
ストロングポジションをとる

ラックに一番近いところにいるAの選手は、ボール保持者のFWの縦への突破に対して十分にケアしなければならない。低い姿勢で待ち構えることがポイント。ストロングポジションをとってすばやくタックルに入ることができれば相手をストップできる。

POINT ②
タックルやラン、サポートに
動き出せる体勢をとる

Bの位置にいる選手は、あらゆるプレーに対応できるニュートラルな姿勢をとる。自分の対面にボールがまわったときのタックルはもちろん、左右方向へのラン、味方選手へのサポートがスムーズできるよう、軽い中腰姿勢で待ち構える。

POINT ③
視野を広く保ち
背後へのキックもケアする

ボールから一番遠いCの選手は、背後へのキックにも対応できるよう視野を広く保つ。そのため姿勢はやや高くなり、前後左右に動き出せるよう準備。相手がどのようなアタックを仕掛けてくるのかチェックしながら、Dと連携してポジショニング調整の指示を行う。

プラスワンテクニック
自分のマークをしっかり
ノミネートする

姿勢はプレーの準備につながり、ボールへの対応やコンタクトに大きく影響する。自分がボールの位置から離れていても、マークする選手を指で示してノミネートしながら、声をかけあうことでディフェンスの穴をなくす。適正な姿勢を取りながら、マークする選手とボールを見る。

> **プラスワンテクニック**
> IQを実践する上でのプレーのポイントやお手本、悪い例などを写真や図解で解説。モデルはクボタスピアーズの選手が担っている。

目次 Contents

ラグビーIQを高めて上達を目指せ！……………………………………………… 2
クボタスピアーズ船橋・東京ベイ選手メッセージ
立川理道選手、ピーター"ラピース"ラブスカフニ選手、根塚洸雅選手
この本の使い方……………………………………………………………………… 6

序章　ラグビーにIQを取り入れて上達する！
01　ラグビーのおもなルールをチェックしよう！……………………………… 12
02　なぜラグビーにはIQが必要なのか?…………………………………………… 14
03　年齢とカテゴリーによって違うルールとは?………………………………… 16
04　ラグビーの環境について考える……………………………………………… 18
05　ボールを持っていないときはどんな姿勢をとる?…………………………… 20
06　前に走ったときボールをどう持つ?…………………………………………… 22
COLUMN　タックルのないラグビーでゲームを楽しむ………………………… 24

PART1　基本プレーの判断基準をチェック
07　ラグビーの基本プレーを確認しよう………………………………………… 26
08　強いタックルで相手を倒すためには?………………………………………… 28
09　正確なパスを味方につなぐためには?………………………………………… 31
10　前から突進してくる相手をどう止める?……………………………………… 33
11　スピードある相手をうまく追い込むディフェンスは?……………………… 35
12　相手を倒さずにボールを奪う方法は?………………………………………… 37
13　長短強弱を考えた効果的なパスコースは?…………………………………… 39
14　状況に応じてキックを蹴り分けるには?……………………………………… 41

※本書は2019年発行の『判断力を鍛える！ラグビー IQドリル 基本の戦術が身につく50問』を元に、一部内容の追加と必要な情報の確認・更新を行い、「増補改訂版」として新たに発行したものです。

15　エリアに応じてどんなキックを使う?……………………………………………43
16　ボール保持者に対してサポートはどう動く?……………………………………45
17　ディフェンスから見た危険なギャップはどこ?…………………………………47

PART2　チームプレーの考え方
18　個の力を集約してチームとして強くなるには?…………………………………50
19　ボールの争奪で優位に立つためには?……………………………………………52
20　タックルされた選手がボールを継続するには?…………………………………55
21　ダウンボールされたボールをテンポよく出すためには?………………………57
22　効果的なタックル後にボールを獲得するには?…………………………………59
23　ディフェンスのサポート選手がボールを獲得するには?………………………61
24　スペースを消さないアタックの方法とは?………………………………………63
25　広い視野で攻守の指示ができる選手は?…………………………………………65
26　キックを使って状況を打開する方法は?…………………………………………67

PART3　ポジション別の判断スキル
27　ラグビーのポジションを理解しよう!……………………………………………70
28　ポジションに応じたプレーができるようになるには?…………………………72
29　FWはどんなプレーを心がける?…………………………………………………74
+α　ラインアウトを確実にキャッチするには?………………………………………76
30　ラインアウトからどうアタックする?……………………………………………77
31　フェイズを重ねアタックを続けるためには?……………………………………79
32　ディフェンスが強くてゲインラインを大きく突破できない……………………81
33　ゲームをコントロールして勝利するためには?…………………………………83
34　フェイズアタックでセンターはどう走る?………………………………………85
35　ディフェンスにギャップをつくらない組織的な守り方は?……………………87
36　ウイングが決定的な仕事をするためには?………………………………………89
37　ディフェンスライン後方の広いスペースを守るには?…………………………91
38　相手キックを処理して良い形でアタックを開始するには?……………………93

写真提供
・市川ラグビー少年団りとるキング
・市原ラグビースクール
・江戸川区ラグビースクール
・千葉市ラグビースクール
・成田チャオズジュニア
・船橋ラグビークラブ

PART4　個々の選手が考えてプレーの質を上げる

- 39　1つひとつのプレーをより意識するためには?……96
- 40　チームが一体となってプレーするには?……98
- 41　タックルを受けながら味方にパスするには?……100
- 42　タックルを受けても攻撃を継続するには?……101
- 43　サイドのサポート選手を生かすためには?……103
- 44　片手持ちからパスするには?……105
- 45　タックルを受けた後に前進するには?……106
- 46　タックル後に前進のチャンスがあるときは?……107
- 47　2対1の状況を上手に使うプレーとは?……109
- 48　相手の陣形とスペースからどこにチャンスが生まれる?……111
- 49　オフェンスの狙いどころを考えた効果的なキックは?……113
- 50　自陣マイボールのスクラムをどう活かす?……115
- 51　ピッチをワイドに使ってアタックするには?……117
- 52　ディフェンスの枚数を揃えるためには?……119
- 53　有利な状況からゲームをスタートするキックは?……121
- +α　1対1に勝ってインゴールに飛びこむには?……123
- 54　背走しながらキックされたボールを処理するには?……125
- 55　ゴールライン付近のボール処理でルールはどう変わる?……127
- 56　相手ペナルティの直後でクイックスタートの狙いは?……129
- 57　攻守の切り替えをすばやくするには?……131
- 58　ターンオーバーからどんなアタックをイメージする?……133
- 59　スキをみたラインブレイクで攻撃側のプレーヤーはどう動く?……135
- 60　タッチライン際の局面でどんなプレーを選択する?……137
- +α　選手が考えたことをプレーで体現するには?……139
- +α　巻末IQインタビュー……141

撮影　上重　泰秀
デザインDTP　都澤　昇
校正　海川　俊世
編集　(株)ギグ

序章

ラグビーに
IQを取り入れて
上達する！

序章 IQ 01 主な競技ルール

ラグビーのおもな
ルールをチェックしよう！

> **ヒント** ルールを理解していないと考える基準が定まらない

　ラグビーは2チームの選手たちが、1つのボールを奪い合いながら、インゴールでのトライやキックによるゴールによって、得点を競うゲーム。オフェンスチームは、ボールをキック以外では前に進めることはできず、ボールを持ったランやパスワークなどを効果的に使う。

　試合では両チームの選手が激しくコンタクトをしながらボールを争奪し合う。反則があればペナルティーとなり、重い反則になると得点機会を与えてしまう。ルールの理解はプレーの判断基準のベース。得点差や状況によって選手は考え、プレーの選択をすることが求められる。

POINT ①

トライ5点ゴールキック2点、計7点のチャンス
ペナルティーゴールとドロップゴールは3点

　インゴールにボールを持ち込み地面につけるか、押さえ込むとトライ（5点）。トライ後はゴールキック（2点）で追加得点できる。反則により与えられたペナルティーゴールやプレー中にボールをワンバウンドさせて蹴るドロップゴールは3点となる。

POINT ②

ゴールは狙えない
軽い反則

　スクラムに入れるボールが真っ直ぐ入らないと、ノットストレートとなり、フリーキックとなる。またボールを前に投げてしまったり、前に落とすことも反則となり、相手チームのボールでスクラムからゲームが再開される。

POINT ③

ペナルティーキックとなり
ゴールを狙える重い反則

　ラグビーではオフサイドラインが定められ、ボールよりも前方にいる選手がライン後方まで下がらないでプレーに参加するとオフサイドとなる。相手プレーヤーの肩の線より上への危険なタックルもハイタックルとなり、ペナルティーの対象。

POINT ④

ラックやモールの場面で
起きてしまう反則

　ラックでボールを拾うハンドやボールが出るのを妨げるオーバーザトップ、故意にモールやラックを潰すコラプシング、タックルで倒されても、ボールを持ち続けるノットリリースザボール、タックルした選手が次プレーの障害となるノットロールアウェイなどがある。

序章 IQ 02

ラグビーIQ

なぜラグビーには
IQが必要なのか?

ヒント 試合中は選手の自主性を重んじるのがラグビー

　監督やコーチは、ゲームがはじまればスタンドで観戦し、ピッチ上の選手たちに直接指示を送ることはない。競技規則には定められていないものの、ラグビー自体が英国貴族の子弟が通うパブリック・スクールを中心に発達した競技であり、選手たちの自主性を重んじる精神の名残りといえる。

　そのため試合中は、基本的に選手たちが自分たちで考え、プレーすることが求められる。チーム一丸となったディフェンスや創造性のあるアタックなど、状況に応じたプレーを考え、ベストなオプションを選択することがポイントになる。

POINT ①

選手たちが考え ベストなプレーを選択する

試合状況は、時間や点差によって刻々と動く。そのなかでベストな選択をすることがチームの勝利に直結する。2015年のワールドカップ日本対南アフリカ戦では、キックで同点狙いの選択肢もあったが、選手たちがスクラムをチョイスし、歴史的な勝利を手に入れた。

POINT ②

キャプテンやリーダーを中心に チームがまとまる

試合中はキャプテンが全責任を負う。審判に対しての異議は許されず、質問はキャプテンが代表して行う。プレーの合間でのチーム内のコミュニケーションや得失点後のインターバルでも戦術を確認するなどリーダーシップが必要だ。

POINT ③

頭を使ったプレーなら どんな選手でも活躍できる

ラグビーでは国籍や体格など様々な選手がプレーしている。試合では大きな選手と小さな選手がコンタクトしたり、スピード差がある選手同士が競うこともあるのがラグビーの特徴。頭を使い考えてプレーすることで、どんな相手にも高いパフォーマンスを発揮する。

プラスワンテクニック

選手主導で考えてプレーする

リーグワンの試合では、トライ後のコンバージョンキック時やプレーが止まっているわずかな時間にも選手間でコミュニケーションをとり、情報を共有している。アタックの狙い目やディフェンスの仕方など、常にチーム全員が同じ方向性を持ってプレーする。

序章 IQ 03 カテゴリー

年齢とカテゴリーによって違うルールとは?

ヒント 選手の人数が増え、キックの要素が変わる

　ラグビーは年齢やカテゴリーによって、ルールに違いがある。大きな部分としてはプレーする選手数やフィールドのサイズだ。またフィールドサイズの大小に伴い、スクラムの組み方やキックの使い方、ラインアウトも異なるので注意。ルールを理解せず、プレーすることはラグビーIQ の向上につながらない。
　カテゴリーは小学生の低学年 (1 年・2 年)、中学年 (3 年・4 年)、高学年 (5 年・6 年) があるミニラグビーと中学生のカテゴリーであるジュニア、高校生以上は 15 人制のラグビーとなり、大人のルールとほぼ変わらない。

低学年はタグラグビーで スキルアップする

　小学校の低学年（1、2年生）では、原則としてタグラグビーを行う。タグラグビーではコンタクトプレーが認められていないため、ランニングやハンドリングを中心にスキルアップしていく。中学年（3年生）以上になるとタックルなどのコンタクトありのラグビーになる。

ポジションはフォワード3、ハーフバック1、バックス3が基本。

中学年は1チーム7人 ピッチは60m×35m以内

　試合は15分ハーフ以内、3号または4号ボールを使う。キックオフは中央からの5mラインを越えるドロップキックかパントキック、プレースキック。スクラムは3人で組み、押し合わない。ラインアウトは2人ずつ並び競らない。

ポジションはフォワード3、ハーフバック2、バックス4が基本。

高学年は1チーム9人 ピッチは60m×40m以内

　試合は20分ハーフ以内で、4号ボールを使う。キックオフは中学年と同じ。トライ後のゴールキックは、ゴールポストの有無によって運用が変わる。スクラムは3人ずつで組み、押し合わない。ラインアウトは2人ずつ並び競る。

ジュニアは1チーム12人 ピッチは100m×60m以内

　キックオフはピッチ中央からの10mラインを越えるドロップキック。トライ後のゴールキックは、成功で2点の加点がある。自陣からのキックは、22mラインの内か外か、ダイレクトかバウンドして出たかで次プレーが変わる。スクラムはフォワードの5人ずつで組む。

※各カテゴリーのルールは地域や大会・試合、グラウンドよって異なる

序章 IQ 04 ラグビーの環境

ラグビーの環境について考える

ヒント ラグビースクールとラグビー部の違い

　小学生は「ミニラグビー」、中学生は「ジュニア」というカテゴリーでプレーするなかで、活動の場のメインとしてあげられるが地域にあるラグビースクールだ。スクールの多くは、「ラグビーの底辺拡大」をテーマに、ラグビーを通じた子どもたちの成長を目指している。

　中学によってはラグビー部がある学校がある。部活動の場合、ラグビースクールよりは活動日数が多いので、より高いスキルを身につけるチャンスではあるが数としては、まだまだ少ない。高校になるとラグビー部数も増え、地域大会も盛んで全国大会は大きな注目を集めている。

POINT ①

ラグビースクールは幼少から中学生までプレーできる

　地域にあるラグビースクールは、幼稚園（ミルキー）から入会できるところもあり、ラグビーの普及に貢献している。子どもの成長に合わせた指導が行われ、基本的なスキルが身につく。ラグビーを楽しむことをメインに、勝敗よりもラグビーを通じての心身の成長を促す。

POINT ②

練習量を確保してフィジカルを向上する

　中学校では他の部活動と同様、放課後に練習ができるため、ラグビースクールよりも練習量が多いのがメリット。ジュニアのカテゴリーになると、体のサイズも全体的に大きくなるので、基本的なスキルに加え、フィジカル向上にも取り組んでいく必要がある。

POINT ③

ヘッドコーチを中心に選手たちを指導する

　部活動やジュニア世代のラグビースクールでは、コーチが選手の指導にあたる。経験豊富なヘッドコーチがチーム全体を指揮し、強豪チームになるとフォワードやバックスにそれぞれ専門のコーチがいる。ラグビースクールの中低学年では、父兄のコーチの協力も欠かせない。

プラスワンテクニック

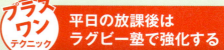

平日の放課後はラグビー塾で強化する

　部活動やラグビースクールのようにチームは持たないものの、平日でもラグビーを学ぶことができる環境が増えている。クボタスピアーズが取り組んでいるU-15プログラムやラグビー塾のようなアカデミーでは、質の高いコーチングを平日などに提供している。

序章 IQ 05　姿勢

ボールを持っていないときはどんな姿勢をとる?

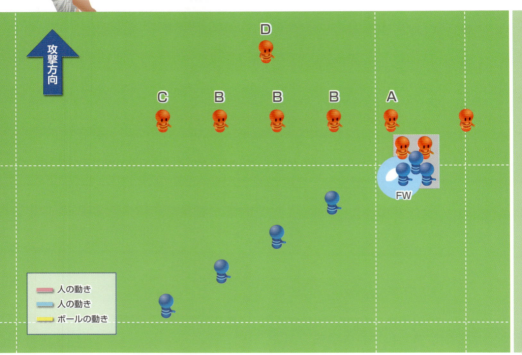

ヒント　状況に応じたディフェンスの役割を理解する

　ラックになり、フォワードの選手がボールを出そうとしている。ボールをピックした選手は、外に展開することはもちろん、自分でボールを持って突破してくることがある。

　このときディフェンスチームは、人数が揃っており、どのようなアタックにも対応できるポジショニングとなっている。

　しかしボールからの距離によって、それぞれの選手の準備に違いがあるようだ。ABCに位置する選手の「姿勢」を考えてみよう。各選手のディフェンスでの役割を理解することがポイントだ。

POINT ①

低い姿勢から
ストロングポジションをとる

　ラックに一番近いところにいるＡの選手は、ボール保持者のＦＷの縦への突破に対して十分にケアしなければならない。低い姿勢で待ち構えることがポイント。ストロングポジションをとってすばやくタックルに入ることができれば相手をストップできる。

POINT ②

タックルやラン、サポートに
動き出せる体勢をとる

　Ｂの位置にいる選手は、あらゆるプレーに対応できるニュートラルな姿勢をとる。自分の対面にボールがまわったときのタックルはもちろん、左右方向へのラン、味方選手へのサポートがスムーズできるよう、軽い中腰姿勢で待ち構える。

POINT ③

視野を広く保ち
背後へのキックもケアする

　ボールから一番遠いＣの選手は、背後へのキックにも対応できるよう視野を広く保つ。そのため姿勢はやや高くなり、前後左右に動き出せるよう準備。相手がどのようなアタックを仕掛けてくるのかチェックしながら、Ｄと連携してポジショニング調整の指示を行う。

プラスワンテクニック

自分のマークをしっかり
ノミネートする

　姿勢はプレーの準備につながり、ボールへの対応やコンタクトに大きく影響する。自分がボールの位置から離れていても、マークする選手を指で示してノミネートしながら、声をかけあうことでディフェンスの穴をなくす。適正な姿勢を取りながら、マークする選手とボールを見る。

序章 IQ 06 ボールの持ち方

前に走ったとき ボールをどう持つ？

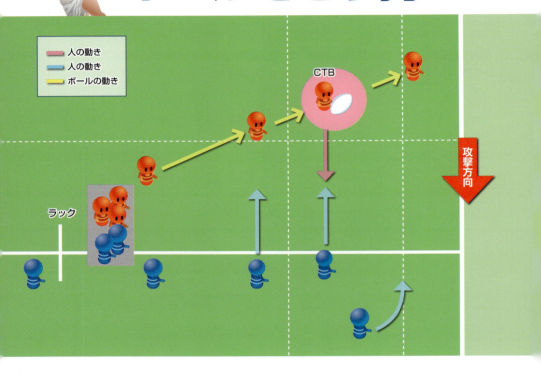

ヒント 対面が迷うボールの持ち方を考える

　ハーフウェイライン付近でのラックからボールが出た。アタック側はスクラムハーフからスタンドオフ、センターとパスがまわった。このときセンターの前にはスペースがあり、ランで勝負をかけられる状況だ。センター（CTB）は、どのようにボールを持って走れば良いだろうか。

　ボールを持つときは両手が基本。コンタクトがあっても簡単にボールを落とすことなく、次のプレーにつなげる。実際にランを仕掛けるなら片手でボールを持って、腕を振って走った方がスピードは速くなる。どちらの持ち方で走るかは、状況によっての判断が必要だ。

POINT ①

両手でボールを持っていると プレーの選択肢が増える

　両手にボールを持って走ることで、相手は外の選手へのパスも意識しなければならず、思い切ったタックルに入りにくくなる。両手でボールを持ちながら、相手をギリギリまで引きつけてパスしたり、パスフェイントを入れてからの仕掛けが可能になる。

POINT ②

手・腕・肩で しっかりホールドする

　ボールを片手に持って走ると、腕が振りやすくスピードはアップする。落としたり、叩かれたりしないよう前腕と上腕、肩でしっかりホールドする。片手で持っているとオフロードパスやバックフリップパスなど応用テクニックを繰り出すことができる。

POINT ③

状況に応じて ボールを持ち替える

　コンタクトになりそうな状況では、ボールを落としたり、奪われることがないよう、さらに力を入れてホールドする。ディフェンスがくる方向と逆の腕で持つことがポイント。できるだけ相手から遠ざけることで、ボールを失うリスクを減らす。

プラスワンテクニック　ボールを継続するために基本に忠実にプレーする

　「基本の両手」があっての「応用の片手」という考え方が大事。ひとつひとつのプレーで基本に忠実にプレーすることが、ボールの継続につながる。片手で持ったときボールの見える面積が大きいと、それだけ相手に手を入れられたり、叩かれて落としてしまうことになる。

COLUMN

タックルのないラグビーで
ゲームを楽しむ

　「タグラグビー」とはタックルやキックなどをなくしたラグビーのことで、攻守において運動量が求められる。ラグビーのトレーニングの一環として取り入れることで、チームプレーにも好影響を与える。

　タグラグビーに参加する選手は、腰にベルトを着け、その両腰のワンタッチテープ部分にビニール製のリボンである「タグ」を着けてプレーする。腰にあるタグを相手から捕ることが、ラグビーのタックルに相当する。ボールを持って走る攻撃側の選手のタグを守備側の選手が奪いとれば、相手の前進を止めることができる。

　ラグビーと同じように複数の人数でゲームを行うものから、1対1で個々のフィジカルを競うものまでバリエーションがある。ゲーム形式のタグラグビーは、得点が入りやすく、参加選手が活躍しやすいことが特徴。ラグビーの「トライ」の爽快感をゲーム感覚で楽しむことができる。

腰にベルトを着け、左右の腰にあるワンタッチテープ部分に色分けされたリボンである「タグ」を着けてプレーする。

PART1
基本プレーの判断基準をチェック

PART1
IQ 07

基本プレーの重要性
ラグビーの基本プレーを確認しよう

ヒント 基本プレーが正しくできないと考えたことが実践できない

オフェンスチームはボールを前に進め、相手陣にあるインゴールでのトライを目指す。トライをとるためにオフェンスのチームは、三つの基本プレーで前に進めなければならない。それが「ボールを持って走る（ラン）」「ボールを投げる（パス）」そして「ボールを蹴る（キック）」だ。

一方のディフェンスチームは、タックルで相手のランを止めることが基本となる。攻守において、これらの基本プレーがしっかりできることが大事。頭のなかでイメージがあっても、しっかりした技術が伴わなければ、プレーで形にすることができない。

パスを使い分けて味方を走らせる

　パスは味方との意思疎通があって成立するプレー。相手や味方の状況を見ながら、パスの長短強弱を使い分けてボールをつなぐことが大事。受け手はハンズアップしながら両手でキャッチし、トップスピードでもらうことができると大きく前進するチャンスが生まれる。

球質を変えてキックを蹴る

　キックはオフェンスでボールを前に進ませるときと、ディフェンスで陣地を挽回するときの二つの目的がある。また蹴る地点や狙いどころ、相手の陣形によってキックの球質を変えて蹴ることがポイントになる。巧みなキックを使うことでスペースを有効活用しよう。

ランの良し悪しでプレーのオプションが変わる

　ランはオフェンスでボールを前に運ぶ手段としてだけでなく、ステップで相手をかわしたり、ボール保持者へのサポートで使う。ディフェンスではボールへのチェイスやタックルへのアプローチになるプレー。土台となるランを疎かにしているとプレーはうまくいかない。

基本に忠実なタックルで相手の前進を止める

　タックルはボールを持つ選手を止めて前進を阻むプレー。相手のアタックを止めるだけでなく、ボールを奪うチャンスをつくることができる。自分より大きな相手やスピードがある相手へタックルは、ケガのリスクもあるので基本に忠実にプレーすることが大事。

PART1 IQ 08 タックル

強いタックルで相手を倒すためには？

パワーの方向

> **ヒント** 正面から入って相手の体をしっかりロックする

　フロントタックルは、タックルの基本テクニック。正面からボールを保持して走ってくる相手にタックルし、できるだけ進行方向とは逆側に倒す。そうすることで相手のランニングを止めるだけでなく、次のボール争奪場面を有利に運ぶ。

　前からくる相手に対して、スプリントからステップを調整して正面から入る。ギリギリまで頭をあげて相手をチェックし、タックル直前に低く入ることが大事。自分の肩を相手の腰に当て、腕で相手の体をロックする。このとき前傾姿勢となり、両足のカカトがやや浮いた状態になると、強いパワーが発揮できる。

チャレンジ ①

肩を体に当てて相手を後方に倒す

　頭は必ず相手の尻側に持っていく。肩を相手の腰に当て、両手でしっかりバインドすることで動けなくする。前傾姿勢がとれていれば、相手は後方に倒れ、タックル後のボール争奪でタックラーは、すばやく立ち上がることができる。

チャレンジ ②

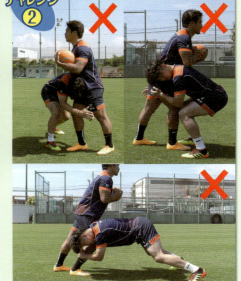

頭が体の前にくる「逆ヘッド」は危険。脚が揃ったり、踏み込めないのも NG。

チャレンジ ③

スプリントからチェック スクエアでタックルに入る

　スプリントで相手に近づいたら、タックル前にスピードを落としてステップを調整（チェック）。そこから前傾姿勢になり、正面（スクエア）でタックルに入る。

チャレンジ ④

チョークタックルで相手ボールを奪う

相手のランニングに対して味方のタックルが入り、動きが止まったところでサポートの選手がチョークタックルに入る。ボールをもぎ取ることができれば、ターンオーバーとなる。相手がボールを離さなくても下から上にボールごと引き上げることで、相手の動きを封じてしまう。

プラスワンテクニック

チョークタックルは両手を組んでボールごと上に引き上げる。自分の腰を相手に近づけることで、相手は体をのけぞらせ身動きがとれない。

※日本ラグビーフットボール協会では、12歳以下の競技規則として、胸部より上へのタックルを禁止している。

PART1 IQ 09 パス

正確なパスを味方につなぐためには?

ショートパス

ヒント 近い相手に正確なパスを出す

　パスはアタックの場面で使う大事なテクニック。味方がハンズアップしている両手に向けて、すばやくパスを出す。

　ショートパスは近い距離にいる相手に、ボールに回転をかけずに出すテクニック。相手からの激しいコンタクトがあるなかで、正確に渡すことができるパスとして活用できる。

　手のひら全体でボールをつかんで持つ。コンパクトな腕の振りでボールに回転がかからないように投げるのがポイント。リリースするときは、スナップを使いフォロースルーをきっちりとる。

回転をかけながらボールを押し出す

　遠くに投げるときに使うスクリューパスは、ボールに回転をかけて飛ばす。回転をかけ押し出すパワーハンドと方向をコントロールするガイドハンドを上手に使う。腰横で構え、ボールの先端をターゲットに向けて押し出すように腕を振り、投げた後はパスする方向にフォロースルー。

プラスワンテクニック

コンパクトなフォームでパスをコントロールする

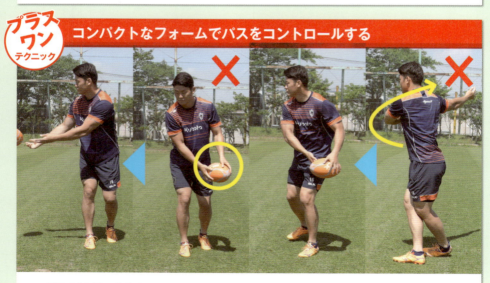

　パスではボールをキャッチしてから腕が一旦下にさがってしまうとパスを出すのが遅くなる。キャッチした高さを変えずにすばやくパスを出す。スクリューパスは、遠くに飛ばすことを意識するあまり、軸がブレてしまうとコントロールが定まらないので注意。

PART1
IQ 10

タックルの間合い

前から突進してくる相手をどう止める？

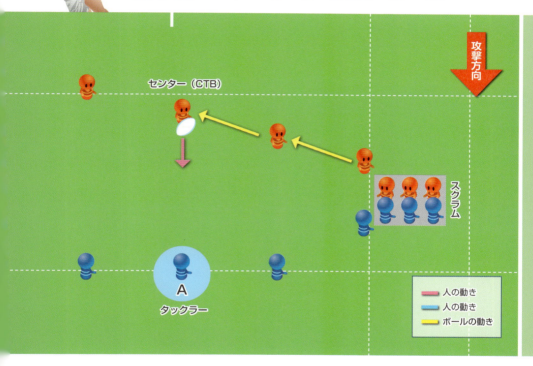

ヒント タックルを視野に入れた間合いをとる

　タックルはとても勇気がいるプレーだ。**相手が自分より大きな選手であれば、一発で止めることは簡単ではない。**さらに相手がスピードに乗って走ってくるようなら、タックルはますます難しくなる。図のように相手オフェンスのスクラムからのアタックで、センターの選手がボールを持ち突破してきた。このとき対面に立つディフェンスチームの選手は、タックルで前進を止めなければならない。

　ボールが出た直後、A（タックラー）はディフェンスライン上にポジショニングしている。この後の動き出しとタックル成立までをイメージしてみよう。

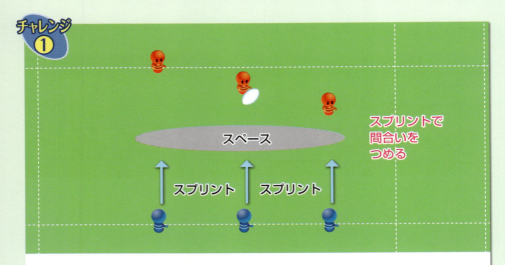

スプリントで相手との間合いをつめる

　相手にボールが出たら、ディフェンスは一斉にラインを上げ、スプリントで間合いをつめにいく。このとき、できるだけワンライン（一直線）で上げるようにし、相手のランができるスペースを消すことが大事。逆に前に出なければ、ボール保持者に時間を与えてしまい、好きなようにプレーされてしまう。

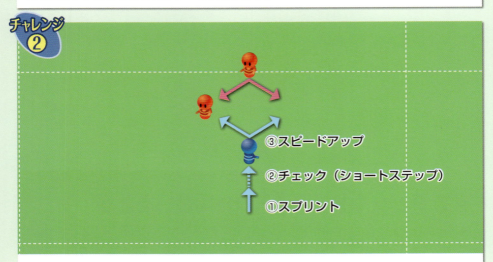

チェックでステップを合わせ、踏み込んでタックルに入る

　スプリントで前に出て、間合いをつめたら相手をチェック。スピードを緩めながら、ショートステップでタイミングを合わせてからタックルに入る。できるだけ近くで踏み込み、肩を相手に当てることで強いタックルができる。頭を相手のお尻側に入れることでケガを防止する。

PART1
IQ
11

タッチライン際のディフェンス

スピードある相手をうまく追い込むディフェンスは？

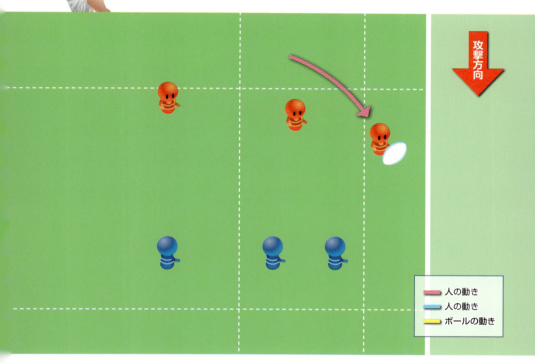

ヒント タッチラインを味方にして追い込む

　相手ウイングがスピードに乗って走ってきたときは、味方のディフェンス枚数が足りているなら必要以上に慌てないことが大事。1対1のディフェンスで抜かれてしまうと、相手はインゴールまでボールを運びトライしてしまう。

　相手の真正面に入ってしまうと、スピードのある左右の動きに対応できないので注意。相手アタックの選択肢を絞った上で、タッチライン際に追い込んでいくディフェンスが理想だ。

　味方のサポートを把握しつつ、ライン際に追い込むことで、どのようなプレーが可能になるのか考えてみよう。

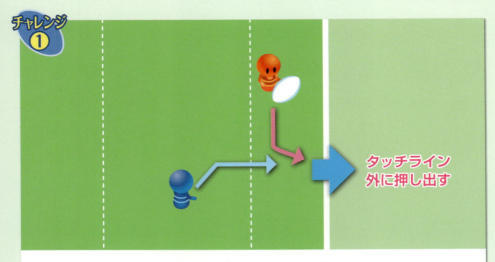

タッチラインを上手く使ってディフェンスをする

　内から外へ追い出すようにディフェンスし、タッチライン際に相手を追い込む。ボールを持った相手を外に押し出せば、マイボールからのラインアウトになる。タックルが決まり、止めることができればジャッカルやターンオーバーでボールを獲得できるチャンスがある。

外に追い込んで走るコースを限定する

　相手の真正面に立つと、両方のコースに抜けるチャンスができてしまうので注意。スピードがある相手がステップを踏めば、タックルは簡単に外されてしまう状況だ。ランのコースを限定しつつ、相手の動きに対応できるポジショニングをキープする。

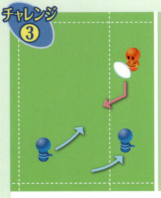

内に切り込んできたら味方と連動して止める

　足をうまく使って外へ追い込むと、相手は次の攻撃オプションを考えてくる。このシチュエーションでは相手キックは味方がフォローする。カットインして入ってくれば、サポートする味方と連動して挟むようにして止める。

PART1
IQ 12

チョークタックル

相手を倒さずに ボールを奪う方法は?

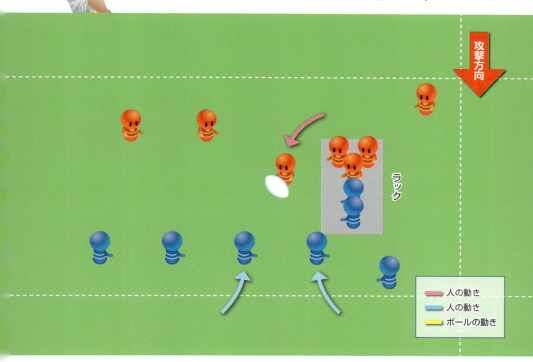

ヒント 相手を倒さずにボールを奪う

ラックからボールをピックしたオフェンスの選手が、スピードがないまま前進してきた。ボールを片手で持っているためディフェンス側からはボールがしっかり見えており、サポートの選手はやや遅れている。

このようなときは、ディフェンスとしてターンオーバーのチャンス。どうやってボールを奪えば良いか考えてみよう。

相手を倒すようなタックルは、遅れてきたオフェンスのオーバーによりボールを継続されてしまう。タックルは相手を止める手段であって、必ずしも倒すとは限らないと理解しよう。

下から手を入れてボールを奪う

　ラックから近いエリアの場合、チョークタックルが有効。1人目のタックルで相手の自由を奪い、2人目がチョークタックルで、保持しているボールの下から手を入れて奪いにいく。腕の力でボールを獲ることができればターンオーバーの成功だ。味方選手にすばやくつなぎ、オフェンスを展開する。

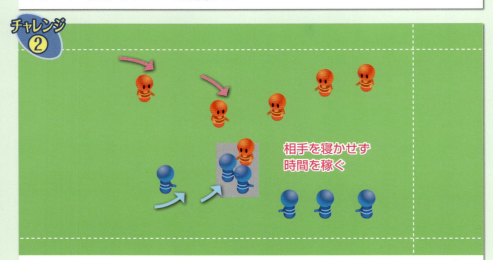

時間を稼いでディフェンスを整える

　チョークタックルでボールを獲ることができなくても、できるだけ相手を寝かせないことが大事。時間を稼いでパイルアップに持ち込むことも可能だ。簡単に寝かせてしまうとオーバーが入ってボールを継続される上、ディフェンスの対応も遅れてしまう。

※日本ラグビーフットボール協会では、12歳以下の競技規則として、胸部より上へのタックルを禁止している。

PART1
IQ 13

パスの種類

長短強弱を考えた効果的なパスコースは?

ヒント パスの受け手がどこにいるかでパスを使い分ける

　パスはチームによって特色が出る部分。オフェンスのラインが浅く、フラットに近ければショートパスで細かくつなぎアタックを継続する。

　逆に深いラインなら走り込んでくる選手のスピードを生かすために、タイミングが合ったパスを出さなければならない。

パスを出す選手と受ける選手との位置関係によって、長短強弱を使い分けることがポイントだ。

　図はスクラムからのアタックでスタンドオフがボールを持ったところ。近場のセンターか、飛ばしたフルバックへはどのようなパスを出せば、良いだろうか。

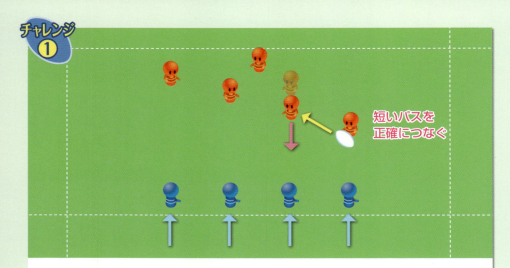

ミスができない短いパスは基本スキルが生きてくる

　短いパスを出すときは、距離が近いほど正確性が重要。わずかにズレただけでノックオンなどのミスにつながる。受け手はディフェンスとの間合いをしっかり確認し、足をコントロールしながらパスを受ける。

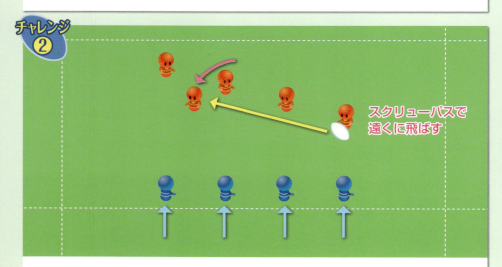

スクリューパスで遠い位置の味方にパスを出す

　スクリューパスは、前傾姿勢からボールにしっかり力を伝える。パワーハンド（押し出す方）とガイドハンドを使いスナップで押し出す。特に長いパスはしっかりキャッチしてから、身体と腕の力を使ってスイングして投げることがポイント。

PART1 IQ 14 キック

状況に応じてキックを蹴り分けるには？

グラバーキック

目標に対してまっすぐ立ち、両手に持ったボールを胸の前からそのまま落とす。キックするときは足首を伸ばして、足の甲全体を使ってボールをミートする。

ヒント キックの使い方を理解してマスターする

　前にパスすることができないラグビーでは、ゲーム中にキックを巧みに使うことで戦術的に優位に立つことができる。キックにはキックオフで使うドロップキックをはじめ、ゴロの軌道になるグラバーキック、高い軌道のパントキック、飛距離が出るロングキック、小飛球となるチップキックなどがある。

　これらキックを状況によって使い分け、ゲームを動かしていくことがポイント。キックが得意な特定の選手だけでなく、ある程度のキック力がある選手が身につけておけば、チーム全体のレベルアップにつながる。

チャレンジ① ドロップキック

ボールの跳ね返り直後を狙って、ヒザから下をコンパクトにまっすぐ振りおろす。

足の甲で確実にミートする。インパクト位置を変えて飛距離と軌道を調整する。

チャレンジ② ロングキック

ツマ先をしっかり伸ばし、スイートスポットに足の甲が当たるようインパクト。

スイングの軌道は「J」をイメージ。「C」は横振りでコントロールしにくい。

チャレンジ③ パントキック

ボールを真下に落として足の甲でとらえる。

インパクトでは足首を伸ばして、足を振りあげフォロースルーをとる。

チャレンジ④ チップキック

走っているところにボールを当てるイメージでボール下をインパクト。速度を維持しつつ、狙ったところにコントロールする。

PART1 IQ 15

キックのセオリー

エリアに応じて どんなキックを使う?

攻撃方向

選手の配置に関係なく エリアごとのキックを 考えてみよう!

A: 相手陣を前にした22mライン地点からのキック。前にはディフェンスラインができ、相手フルバックも前に出ている。

B: ハーフラインより少し入ったところからのキック。ディフェンス後方と相手フルバックの間にスペースがある。

C: 自陣10mライン付近からのキック。オフェンス、ディフェンスともにラインができている。

D: 自陣22mラインの中からのキック。相手がキッカーに対してチェイスを仕掛けている。

ヒント ボールのある地点で使うキックを考える

　自陣に追い込まれた状況からのキックは、距離を稼いで相手を後ろに押し返すようなキックが有効。10メートルライン付近の地点では、イーブンな位置にハイボールを上げて、再獲得を目指すキックも効果的だ。

　また、アタックに転じたときは空いているスペースをキックで積極的に狙う。チップボールでディフェンスの後ろに蹴り込んだり、グラバーキックでディフェンスの間を抜くなど状況別に使い分ける。

　キックは使う目的と蹴る位置を考えてプレーすることが大事。それによってキックの蹴り方や球質を変える。

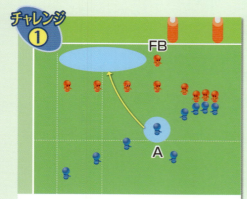

グラバーキックで空いているスペースを狙う

　相手陣深くまで押し込んでいくと、ディフェンスチームのフルバックは前にポジショニングしてくる。空いたスペースをキックでつく。このときチップキックだとフルバックにキャッチさせる可能性があるので、グラバーキックがベスト。

ピッチ中央の大きく空いたスペースに落とす

　ピッチ中央では、ディフェンスチームのフルバックが、キックを警戒して後ろにポジショニングしていることが多い。小飛球のチップキックをディフェンスラインとフルバックの間に落とし、再獲得を狙うオプションが効果的だ。

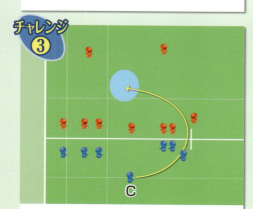

高い軌道のパントキックをキッカーが追いかける

　自陣10mライン地点からのキックは、パントキックで高く上げて、再獲得のチャンスをうかがう。キッカーが落下地点までしっかり走り、相手とコンタクトできることがポイント。再獲得できれば、すばやくオフェンスラインをつくってアタックを仕掛ける。

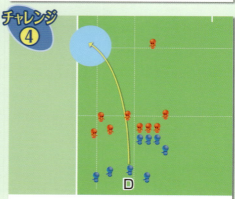

ロングキックでピンチを回避する

　自陣22mからのキックは、ロングキックでピンチを回避する。相手がキッカーに対してチェイスを仕掛けているなら、チャージされないよう注意。飛距離を意識しつつ、タッチラインを目掛けて大きく蹴り出す。

PART1
IQ
16

ランニング

ボール保持者に対してサポートはどう動く？

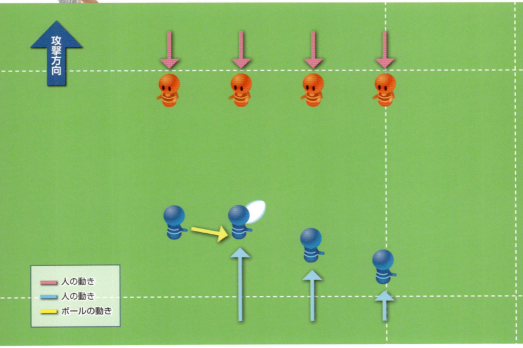

ヒント 次のプレーを考えたサポート位置につく

　ボールを持っている選手だけではなく、オフザボールにある選手も、常に次のプレーを考え、サポートを意識してプレーしないとボールは継続しない。

　サポートの場面で重要になるのがコミュニケーションだ。いざという時に声が出ないと、良いサポートにならない。

声を出すことでボール保持者に複数の選択肢を与え助けることができる。

　図でボールを持っている選手は、相手につかまりそうな場面。他の選手は、次にどのようなプレーをイメージしてサポートに入れば良いだろうか。適正なポジショニングを考えてみよう。

チャレンジ ①

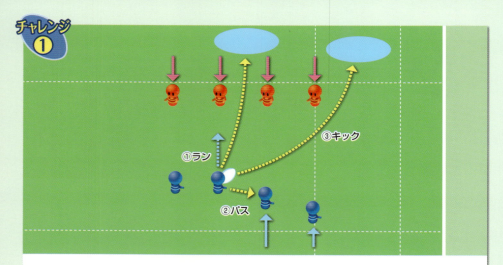

ボールキャリアに選択肢を与えるサポートが重要

　ボール保持者に対して①ラン、②パス、③キックなど複数のオプションを与える。パスの場合、前がつまったときに2つのオプションがあれば良いサポートといえる。逆にパスのオプションがない場合は、相手にとってはディフェンスがしやすい状況だ。

チャレンジ ②

ボール保持者の体勢を見て次のプレーを予測する

　コンタクトが起きた場合は、ラックが成立する位置にすばやく入り、①オーバーでボールを継続する。ボール保持者の体勢を見て、②オフロードパスをもらえるなら、自らがパスを受けてランで突破をはかる。

PART1
IQ 17

ディフェンスライン

ディフェンスから見た危険なギャップはどこ？

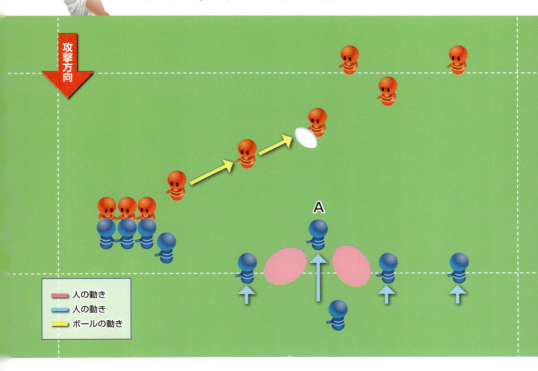

ヒント 共通理解のもと組織でディフェンスする

　ディフェンスラインは全員が揃っていることが前提。ワンラインで押し上げてスペースを消す。そうすることで相手は選択肢が少なくなり、オフェンスプレーでのミスを誘発する。

　逆にラインが乱れていると、それだけ相手にアタックのチャンスを与えてしま うので、前に出るタイミングも声を掛け合わせることがポイントになる。

　図ではＡの選手が突出してプレッシャーをかけている。タックルが決まれば効果的なプレーだが、ボール保持者にはオプションを与えてしまっている。危険なゾーンを考えてみよう。

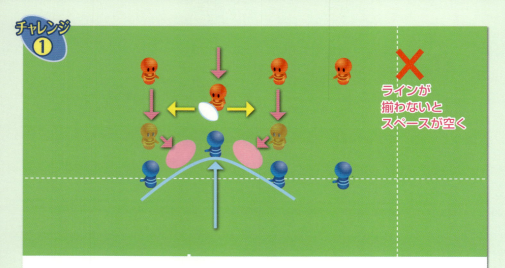

ギャップがあると両サイドのスペースを使われる

　スプリントからのチェック、タックルの流れで相手にコンタクトするとき、Aの選手が前に出過ぎてギャップがあると危険。タックルが成立しなければ両サイドのスペースをパスで使われてしまう。

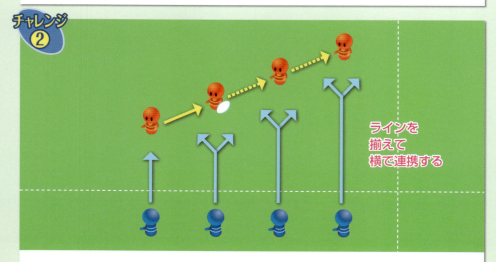

ワンラインで合わせて押し上げる

　ボールが出た直後のプレッシャーには、それほど足の速さが求められるわけではない。むしろワンラインで合わせることが重要になる。極端に遅い選手ならラックの側に配置する。ラインが横で連係することで、相手のランニングに面で対応する。

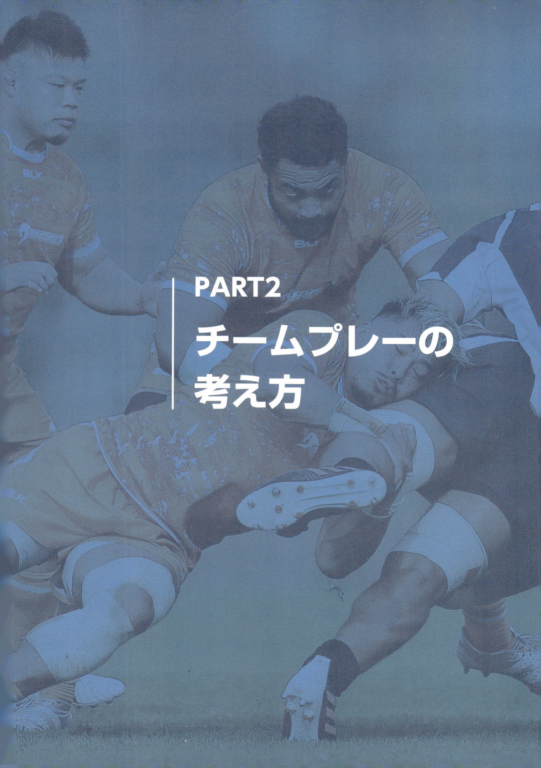

PART2

チームプレーの考え方

PART2 IQ 18 チームプレー

個の力を集約してチームとして強くなるには？

ヒント ボールの継続と争奪ではチームプレーが大切

　15対15というラグビーの試合において、個の力だけでは限界がある。どんなに足が速い選手でも、スペースがなければ走り切ることはできないし、パワーがある選手でも複数のディフェンスにタックルされれば、前に進むことは難しい。

　アタックにおいては、ボールを保持している選手以外の動き出しやサポート、指示が必要。また攻撃を継続するためのダウンボールやオーバーなど、争奪場面で体を張ったプレーも求められる。

　ディフェンスにおいてもタックル後のジャッカルやカウンターラック※などにより、ターンオーバーが可能になる。

POINT ①

タックルされたらダウンボールで味方選手にボールを託す

　ボールを持っている選手がタックルによって倒されたとき、すばやくリリースしなければボールを失ってしまう。倒れてからボールが相手に見えないようにしながら、サポートに入る味方選手に対してロングリリースでボールを継続する。

POINT ②

ディフェンスを押しのけマイボールを継続する

　タックルされた選手に対してディフェンスは、ジャッカルやカウンターラック※でボールを奪いにくる。これを阻止するのがオーバーというサポートのプレーだ。地面にあるボールをまたいで、前に進みディフェンスの手が届かないよう押しのけることでマイボールを継続。

POINT ③

アタックの方向性を共有してトライを目指す

　チームとして「どのようなアタックを仕掛けていくのか」という、共通理解がポイントになる。ボールを持っていない選手からの指示は、攻撃の方向性を導く。ボールを持っている選手も、味方を生かすプレーを心がけることで効果的なアタックができる。

プラスワンテクニック

組織的なディフェンスで相手のアタックを封じる

　ディフェンスではタックルに主眼が置かれがちだが、コンタクト後のプレーによってはボールを再獲得できる。サポートする選手は、ラックにすばやく入ることが大事。またチームとして相手がアタックできるスペースを消していくこともポイントになる。

※カウンターラック〜ディフェンス側の選手が、倒れたボール保持者をまたいで越え、マイボールにするプレー。

PART2 IQ 19　ブレイクダウン

ボールの争奪で優位に立つためには?

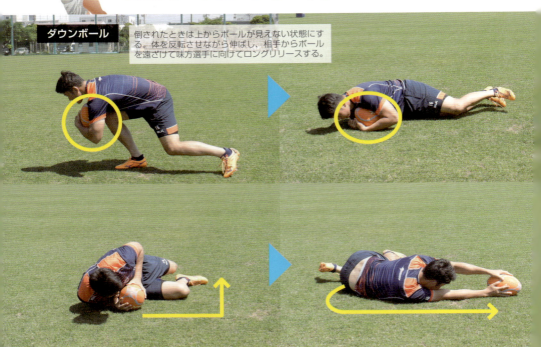

ダウンボール　倒されたときは上からボールが見えない状態にする。体を反転させながら伸ばし、相手からボールを遠ざけて味方選手に向けてロングリリースする。

ヒント　ボールを「守る」「奪う」テクニックを身につける

　守備側の選手のタックル後は、両チームの選手によるボールの争奪である「ブレイクダウン」となる。ここでの優劣がゲームの結果を左右する。攻撃側の選手はマイボールを維持し、再びボールを出して攻撃をつなぐことが目的。タックル後に味方選手につなぐためのダウンボールやオーバーは重要なプレーだ。

　逆に守備側は相手ボールを奪い取るためのジャッカルやカウンターラックなどのプレーを仕掛けていく。双方の選手が反則をとられないよう、自分の役割であるプレーを行うことがポイント。

チャレンジ ①

オーバー

タックルで倒された選手に対してサポートに入る

サポートする選手は、オーバーで相手を押してボールを遠ざける。相手の肩よりも低く入り、足をかきながら前方に押す。このとき腕をしっかりつかんで上半身の自由を奪う。

チャレンジ ②

ダウンボールのリリースが近いと相手にターンオーバーされる

タックルされた選手のダウンボールがロングリリースされていないと、相手にボールを奪われてしまう。攻撃方向に対して足を向け、頭と手が後ろを向くのが理想の形。一連の動作でチャレンジしてみよう。

チャレンジ ③

サポートは、真後ろから入る。横から入るとオフサイドになる。

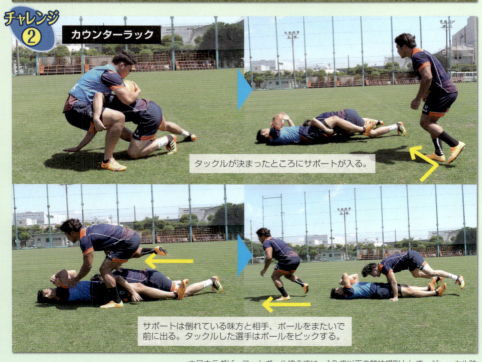

PART2 IQ 20

ダウンボール

タックルされた選手がボールを継続するには?

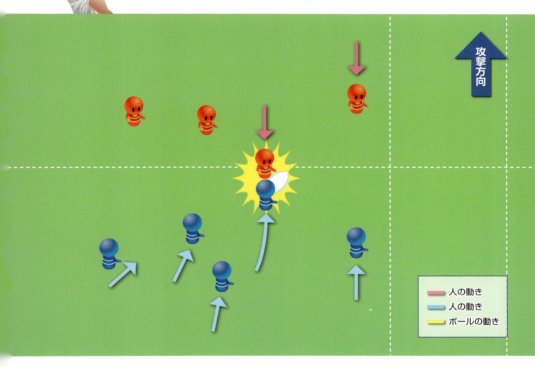

ヒント タックルされた選手とサポートの動きを考える

アタック側の選手がボールを持っていると、ディフェンス側の選手はタックルで止めてくる。タックルの強さやボール保持者の体勢によって、次のプレーの選択が変わってくる。サポートに入る選手は、状況を見極めることがポイント。

タックルが成立して倒れた場合、ボールを持っている選手は、ボールを離さなければならない。どのようなタイミングでボールを離すのか、リリースする場所や方法によっては、マイボールを継続できる。図のようにコンタクトがあった場合の次のプレーを考えてみよう。

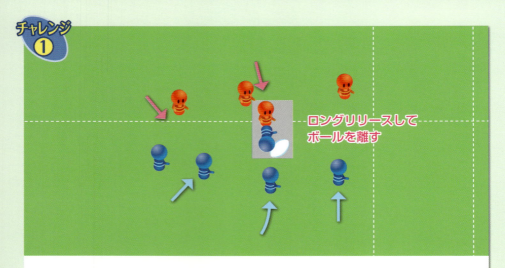

ボールを相手から隠してロングリリースする

　タックルされた選手は、グラウンドで相手にボールを見せないことが大事。ボールを体の上にして寝てしまうと、ジャッカルされてしまう。ボールを抱え込みながら、アタック方向に対しては足、味方のサポートに対しては頭を向けて、両腕をまっすぐ後方に伸ばしてボールをリリースする。

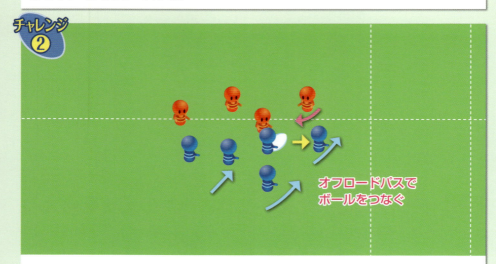

サポートに入る選手のコールでプレーを判断する

　ボール保持者がコンタクトに勝ち、体とボールをコントロールしていたらサポート選手に対して、オフロードパスを使って味方を生かす。パスが出せないように腕をつかまれていたら、自分から後方に倒れてダウンボールに入る。このときサポートに入る選手は「ダウン、ダウン」というコールを入れるとボール保持者が迷わずプレーできる。

PART2 IQ 21 オーバー

ダウンボールされたボールをテンポよく出すためには?

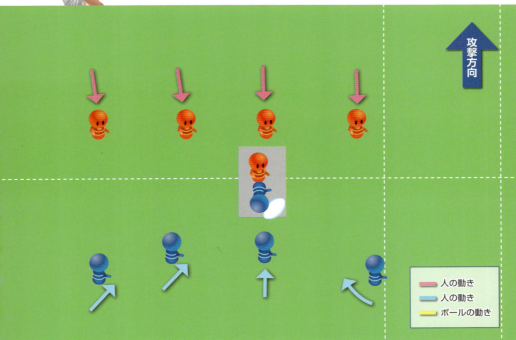

	人の動き
	人の動き
	ボールの動き

ヒント ディフェンス選手をブロックしてボールを守る

　タックルされた味方選手がダウンボールしたら、サポート選手はすばやくボール近くに寄せる。ラックになって球出しに時間が掛かってしまうと、それだけ相手ディフェンスも整ってしまう。

　タックルした選手が起き上がらず、ディフェンスチームのサポートが遅れているなら、ボールを自分でピックして前進することができる。

　図では相手ディフェンスのサポートがあって、ターンオーバーを狙おうしている状況。オフェンス側の選手はどのようなプレーでサポートすれば良いか考える。

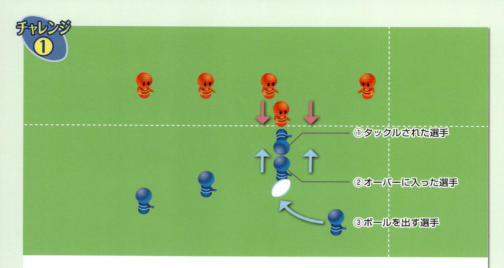

ボールの上をまたいで相手をブロックする

　オーバーする②の選手は、真後ろ（ゲート）から入ってオフサイドにならないよう注意。このとき「オン・ザ・ボール」を意識し、ボールの上をまたぎながら前方からくる相手をブロックする。低い姿勢のストロングポジションをとることがポイントだ。

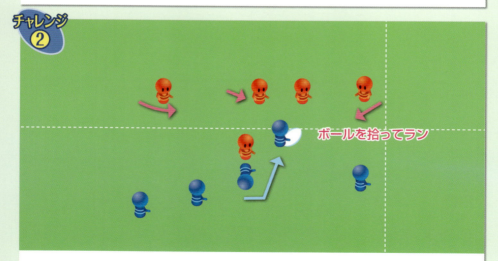

できるだけラックをつくらずアタックを継続する

　チャンスがあれば自分でピックして前進することもできる。攻撃側とすれば、ラックをつくらずにテンポよくアタックを継続できることが理想。ラックになってしまうと、ボールの争奪が起こり、マイボールを失うリスクが高まる。

PART2 IQ 22 ジャッカル

効果的なタックル後にボールを獲得するには?

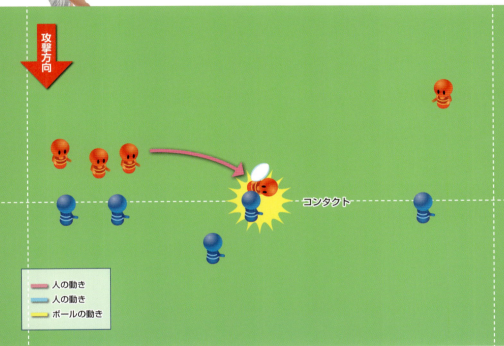

ヒント　効果的なタックルが決まったときはターンオーバーのチャンス

　ディフェンス側は、どのようなタックルが決まったかで次のプレーを考える。タックルの地点がゲインライン上なら、オフェンスのサポートも人数が揃っている。ゲインラインを越えられた地点でのタックルならば、ディフェンスはボールの獲得は狙わずに、次のフェイズに対しての守りをかためる。

　ゲインライン前にディフェンスが前に出てタックルが決まったときは、積極的にターンオーバーを狙うことが大切だ。

　図では相手を後方に押し倒すような効果的なタックルが決まった。サポートも含めた次のプレーを考えよう。

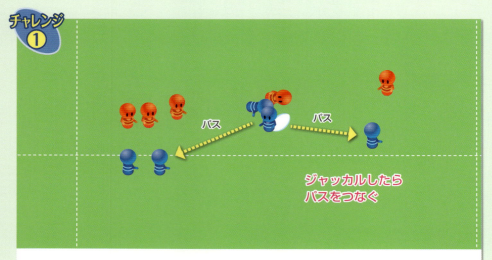

ターンオーバー後はすばやくアタックを開始する

　タックルした選手は相手を倒す。サポートに入った選手は、相手が持っているボールをジャッカルで奪いとる。このとき自立した状態から手だけで行かず、自分の胸の前でボールをとるイメージ。ボールを獲ったら、すばやく味方選手にパスをしてアタックを開始する。

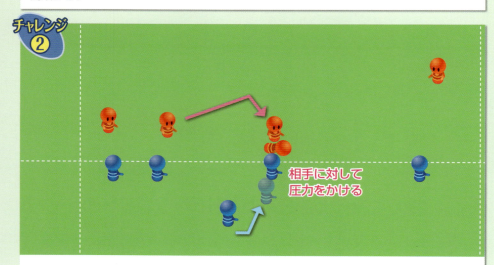

ターンオーバーできないときは球出しを遅らせる

　オフェンス側のオーバーが入り、ボール保持者がロングリリースをすればジャッカルは難しい。このような状況ではターンオーバーは狙わずに、相手の球出しをいかに遅らせるかに目的を変える。オフェンス側のオーバーに対して、負けないようストロングポジションをとって相手にプレッシャーをかける。

※日本ラグビーフットボール協会では、12歳以下の競技規則として、ジャッカル時の危険なプレーを禁止している。ルールの詳細を確認し、安全なプレーに努めよう。

PART2 IQ 23

カウンターラック

ディフェンスのサポート選手がボールを獲得するには?

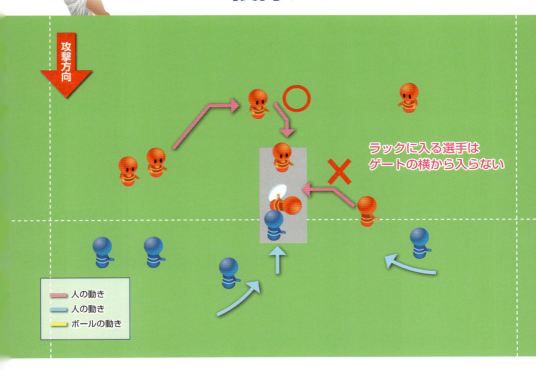

ラックに入る選手はゲートの横から入らない

攻撃方向

人の動き
人の動き
ボールの動き

ヒント ボール保持者ごとまたいでマイボールにする

　相手の動きを完璧に止めるようなタックルが決まったときは、ジャッカルに加えてカウンターラックというプレーでターンオーバーが可能になる。タックルした選手が起き上がるか、サポートに入ろうとしているディフェンス側の選手がすばやくボールの獲得を目指す。

　図では、ゲインラインの手前で効果的なタックルが決まった。オフェンス側のオーバーは、ゲートを通過するためにやや遠回りとなる。このときのディフェンス側のサポート選手は、どのようなプレーでボールを獲得すれば良いか、考えてみよう。

チャレンジ ①

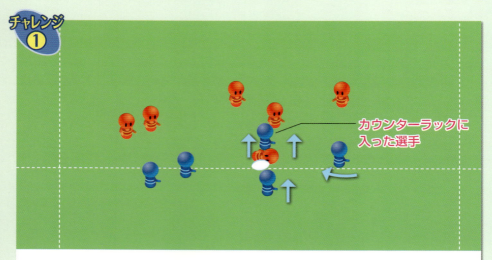

カウンターラックに入った選手

サポート選手がボール保持者をまたいでターンオーバーする

タックル後にディフェンスの選手がボール保持者を越えていくプレーをカウンターラックという。ここではサポートに入った選手が、ボール保持者ごとまたいで前に出る。この時点でボールはターンオーバーされ攻守が逆転している。次にサポートに入った選手は、ボールを拾いアタックを開始する。

チャレンジ ②

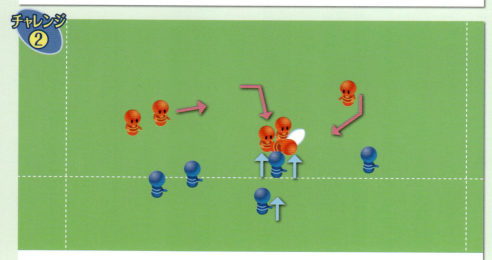

ターンオーバーできなくても押し続けて圧力をかける

サポート選手がまたごうとしたところで、オフェンスチームのオーバーが入ってきたら押し合いになる。この「オーバー相撲」で勝つためには、パワーはもちろん、低く強い姿勢をとれているかが大事。ターンオーバーができなくても、相手を押し続けプレッシャーをかける。

PART2 IQ 24

スクエアアタック

スペースを消さない
アタックの方法とは?

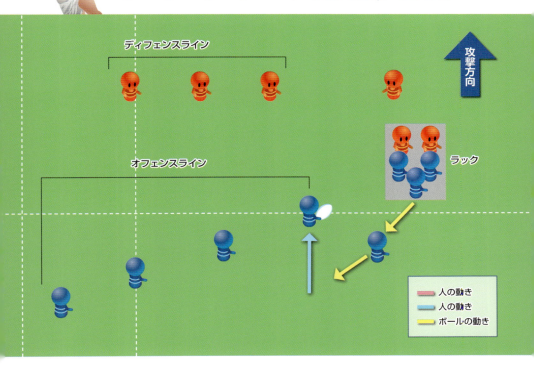

ヒント スペースに流れずまっすぐ前に出る

　バックスに大きくパスで展開しながら前進するのではなく、ランニングコースをストレートに絞って仕掛ける攻撃を「スクエアアタック」という。スクラムやラックからの球出しで、近場の選手が縦に入ってポイントをつくり、そこからのラックで再度アタックを仕掛ける。フェイズを重ねていくうちに相手ディフェンスの穴を見つけてトライを獲りに行く。

　図はラックから出たボールをスタンドオフがキャッチした状況。ここからのパス出しとオフェンスラインの動き出し、スクエアアタックの方向をイメージしてみよう。

チャレンジ ①

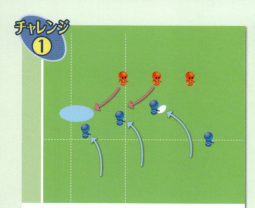

サイドに流れずアタックスペースをキープする

ボールを受けた選手が横に流れてしまうと、外にいる選手のスペースがなくなってしまう。スクエアアタックでは、ボールを持つ選手も持たない選手も、まっすぐ前に仕掛けることが大事。そうすることでアタックのスペースをキープする。

チャレンジ ②

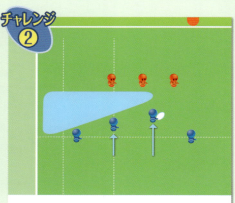

ボール保持者はコールにあわせて攻撃を仕掛ける

真っ直ぐ仕掛けることで、スペースを確保する。順目でもブラインドサイドでもアタックの方向が変わるだけで基本は同じ。ラックができたことでディフェンスが寄り、仮にスペースができたとしても、そこでは流れずスペースをキープする。ボール保持者は様々なコールにあわせてプレーを判断し、アタックを仕掛ける。

プラスワンテクニック

ボールを持つ選手はまっすぐ前に出る

ボールを持つ選手は引きつけてパス。横に流れてしまうと、相手ディフェンスも同様に横へ動き、外でパスを受ける選手のスペースがなくなってしまう。

PART2 IQ 25 アタックのビジョン

広い視野で攻守の指示ができる選手は?

ヒント クリアコミュニケーションで攻守を機能させる

アタックではどこにスペースがあるのかチェックし、パスやキックの指示を送ることが大事。ディフェンスでは、危険なスペースを察知してポジショニングの指示をしたり、ディフェンスが遅れがちになればラックで強く当たるようコールする。これをクリアコミュニケーションという。チーム全体での攻撃や守備を考えたとき、視野を広く保ち、指示ができる選手がいるとチームは機能する。

図ではラックからボールが出たボールがスタンドオフの選手に渡るところ。この状況を攻守のチームでコールできる位置にいる選手を考えてみよう。

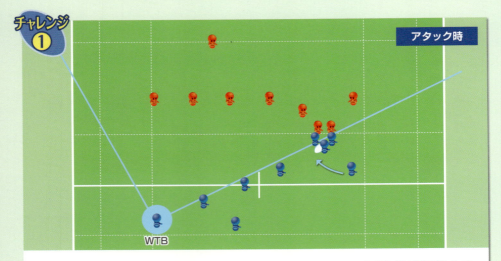

外にいる選手がコールでチームに指示を送り、ボール保持者が判断する

　基本的には、一番外にいる選手が視野を広く保て、しっかりしたビジョンを持てる。オフェンスでは、どこにスペースがあるのかチェックし、キックのコールやアウトサイドへのパスのコールを行う。これを実行に移すのがプレーメーカー＝ボールを持っている選手。

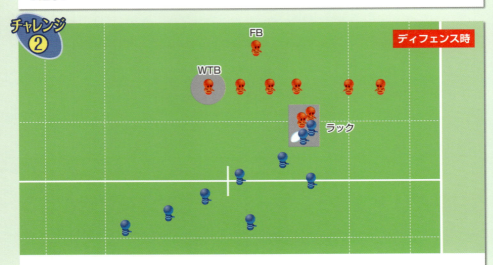

相手アタックの方向を考えてコールする

　ディフェンスにおいてもクリアコミュニケーションを使って対応する。ラックから相手のボールが出る前に、アタックとディフェンスの枚数を比較し、順目に味方のディフェンスを呼ぶのか、逆目をケアするのか、ウイングとフルバックが連携してコールする。

PART2 IQ 26 キックによる戦術

キックを使って状況を打開する方法は？

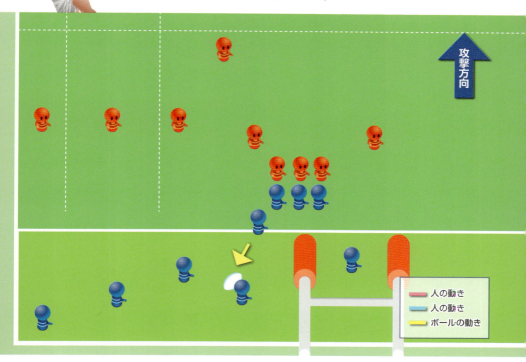

ヒント 陣地の位置を考えてキックを使う

アタックは継続して攻めることが基本だが、陣地によってはキックでピンチを回避することも必要だ。キックの種類を上手く使い分けて攻めることも重要。図ではどのようキックが有効だろうか。

ロングキックであればディフェンスの裏に蹴って陣地を回復してエリアをとる。

ハイパントキックはキック後のチェイスで再獲得を目指す。

グラバーやチップ、クロスキックはどちらかというと攻撃的なキックだ。相手ディフェンスにプレッシャーをかける意味で使う。前掛かりなディフェンスを背走させてプレッシャーをかける。

チャレンジ ①

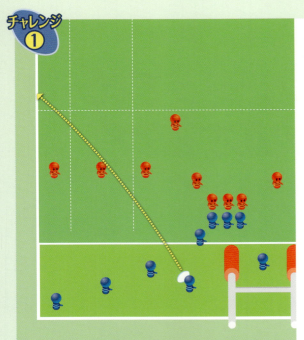

タッチに蹴り出してディフェンスを整える

　バックスのラインは自陣ゴール前に揃っている状態。できれば陣地を大きく回復できるプレーを選択したい。この状況からパスをまわしてもアタックできるスペースは限られている。ハーフからのパスを受けた選手が、タッチに向かって蹴り出すことで陣地を回復する。相手ボールからのラインアウトで再開だが、ディフェンスを整えて準備する。

チャレンジ ②

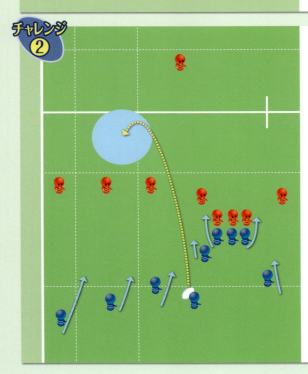

ハイパントでの再獲得はリスクを考えてチャレンジ

　ハイパントも有効なキックだが、自陣ゴール前まで押し込まれた状況から全員が押し上げて再獲得することは難しく、リスクが伴う。キックする選手は、その点も把握したうえでチャレンジする。押し上げることができず、相手にキャッチされてしまえばアタックチャンスとスペースを同時に与えることになる。パントキックを蹴るなら22mラインあたりからのチャレンジがベター。

PART3
ポジション別の判断スキル

PART3 IQ 27 ポジション

ラグビーのポジションを理解しよう！

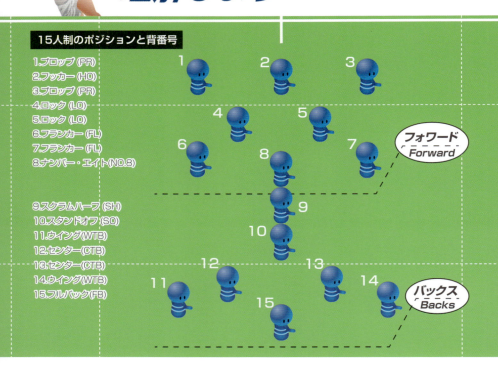

15人制のポジションと背番号

1. プロップ (PR)
2. フッカー (HO)
3. プロップ (PR)
4. ロック (LO)
5. ロック (LO)
6. フランカー (FL)
7. フランカー (FL)
8. ナンバー・エイト (NO.8)

9. スクラムハーフ (SH)
10. スタンドオフ (SO)
11. ウイング (WTB)
12. センター (CTB)
13. センター (CTB)
14. ウイング (WTB)
15. フルバック (FB)

フォワード Forward
バックス Backs

ヒント ボールの継続と争奪ではチームプレーが大切

　ラグビーには15のポジションがあり、それぞれ決まっている。まずフォワード（FW）の前8選手とバックス（BK）の後ろの7選手に分けられる。

　フォワードは8人でスクラムを組み、最前列で相手フォワードと組み合う3選手を「フロントロー」、その後ろで支える2選手を「セカンドロー」、最後列で押し込む3選手を「バックロー」という。

　バックスは試合をコントロールする「ハーフバックス」が2選手、「スリークォーターバックス」がセンターとウイングに2選手、「フルバック」に1選手を配置する。

7人制のポジション

フォワードが3、ハーフバックが1、バックスが3でチームを構成する。

9人制のポジション

フォワードが3、ハーフバックが2、バックスが4でチームを構成する。

12人制はフォワード5、ハーフバック2、バックス5で構成

PART3 IQ 28 ポジションの役割

ポジションに応じたプレーができるようになるには？

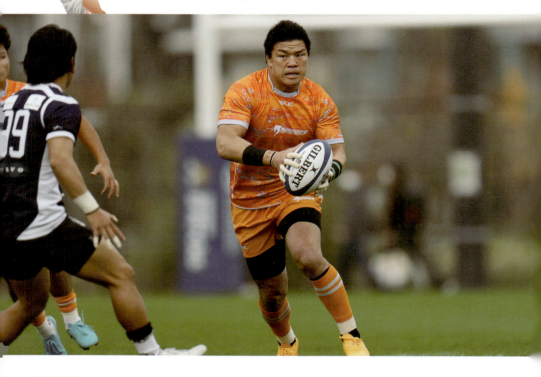

ヒント 自分の特徴を生かしてプレーする

　ラグビーの戦術が発達するなかで、ポジションの役割が多様化している。より高いレベルのラグビーになれば、各ポジションに特化したプレーをこなすだけでなく、複数の役割を担う。
　まずは従来のポジションの役割を理解し、チームのなかで求められるプレーを把握しよう。ときにはバックスの選手が積極的にラックに参加したり、フォワードの選手でもアタックラインに入って、ボールを受け走ることが求められるなど、状況に応じたプレーができることが大切。そのためにラグビーIQを高めて、あらゆるプレーに対応するための準備をする。

POINT ①

パワーとスタミナに長けた選手が担うフォワード

フォワードは試合でボールを獲得することが一番の役割。相手と激しくボールを奪い合いコンタクトするために、身長や体重など、サイズが大きい屈強な選手が担う。試合を通じて、ラックにすばやく入ることができるスタミナが必要で走力も求められる。

POINT ②

ゲームをコントロールするハーフバックス

フォワードと連携するスクラムハーフは、スクラムやモール、ラックに参加はしないが、すばやい動きでパスをバックスにまわす役割。もう一人のスタンドオフは、そのパスを最初に受けパスやキック、ランなどでアタックのオプションを選択する司令塔の役割を担う。

POINT ③

スピードを武器にピッチを駆け抜けるスリークォーターバック

ウイングは外にポジショニングし、的確なコールでチーム全体に指示を送り、自らパスを受けて走り、トライを狙う。センターは縦への突破やパスの中継など、オフェンスの推進力となる。ディフェンスにおいても相手の強力なアタックを強いタックルで阻む高いフィジカルが必要。

POINT ④

広いエリアをカバーしてときには攻撃参加するフルバック

フルバックは最後尾にポジショニングし、バックスをリードする。オフェンスでは切り札としてのライン参加で突破をはかり、ディフェンスでは広いエリアをカバーするスピードがあることはもちろん、正確で飛距離も出せるキック力が求められる。

PART3 IQ 29 フォワードのプレー

FWはどんなプレーを心がける？

> **ヒント** 育成世代のルールに沿って基本プレーを身につける

　フォワード（FW）は、スクラムやラインアウトなどセットプレーをはじめ、モールやラックなど密集でのプレーが活躍の場といえる。体を激しくぶつけ合うため、サイズが大きな選手が多く、パワーとスピードが重要だ。

　15人制ルールでは、オフェンスチームがボール保持していても、スクラムで押したり、ラインアウトで競り合うことでボールの再獲得は可能。ラックなどボール争奪に強いチームが、ゲームの主導権を握るといわれている。ここでは、育成世代のフォワード選手がどのような点に気をつけてプレーすれば良いか解説する。

POINT ①

膝を120度目安にして前傾姿勢をとる

　スクラムでは、いかに安定してボールを出せるかがポイント。相手がプレッシャーをかけるために押してこようとしても、しっかり相手と組んで、低く強い姿勢を心がける。このときの膝の角度を120度目安にして前傾姿勢をとると、下半身のパワーを最大限に出力できる。

POINT ②

相手を押すときは同じ方向に力をかける

　前に押す圧力で相手を上回れば、スクラムの球出しが安定し、相手にはプレッシャーをかけることができる。ルール上、スクラムやモールで押すことが可能な場合、全員が同じ方向にプレッシャーをかける。それぞれが別方向にかけてしまうと、パワーが分散して押し返される。

POINT ③

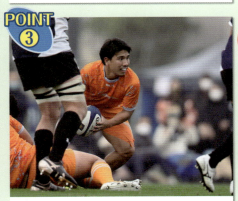

ハーフとフォワードの連携がアタックのテンポに影響する

　スクラムでのボールの投入は、ハーフとフッカーが息を合わせることが大事。ハーフが入れたボールをフッカーがすばやく足でかき出す。高いレベルの試合では、相手に押し込まれないために、スクラムハーフは合図せず、フッカーが足を動かすのに合わせてボールを入れる。

フォワードならではのランニングスキルを身につける

　ラインを浅くしてアタックを仕掛けていくときは、連続攻撃のなかでフォワード選手にもランニングやパスの高いスキルが求められる。大きい体格を武器にして、強引にインゴールに飛び込むなど、バックス選手とは違うパワー・突破力も欲しいところだ。

PART3 IQ +α

ラインアウト

ラインアウトを確実にキャッチするには?

ヒント 相手よりもはやく動き、高い位置でボールを確保する

　ラインアウトは、ボールがタッチラインの外に出た後などに行われるセットプレー。両チームの選手が並んだところに投入されたボールは、互いが競って奪い合うことができる。

　マイボールを継続するためには、ボールを投げ入れるスロワーとキャッチする選手とのコンビネーションがポイント。サインを出してキャッチする位置を決め、相手よりはやく、高い位置でボールをキャッチすることが求められる。

　12人制や15人制ルールでは、キャッチする選手をリフトアップすることができるので高度なプレーが求められる。

PART3 IQ 30

ラインアウト

ラインアウトから
どうアタックする？

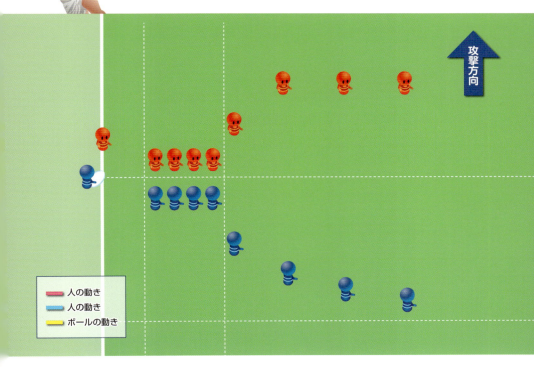

攻撃方向

人の動き
人の動き
ボールの動き

ヒント スピーディーな動作で相手よりも先に動く

　マイボールラインアウトでボールを確保すれば、そのままアタックを仕掛けることができる。

　スロワーからのボールとキャッチする選手とのタイミングがあえばクリーンキャッチし、スムーズにスクラムハーフに渡してアタックを仕掛ける。

　そのためには、相手よりも先に動くスピードの速さと、より高い位置でキャッチするための高さが必要。キャッチ後の判断基準も理解しておく必要がある。

　図ではスロワーがボールを入れるところ。クリーンキャッチまたは相手にからまれた場面などを想定してみよう。

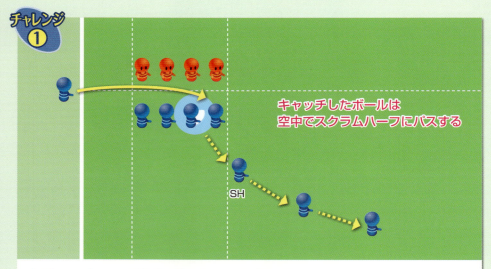

クリーンキャッチからバックスに展開する

スローワーとキャッチする選手のタイミングがあえば、高い位置でボールを捕球できる。クリーンキャッチできた場合は、空中で姿勢を保ちつつ、スクラムハーフにパスしてバックスに展開する。

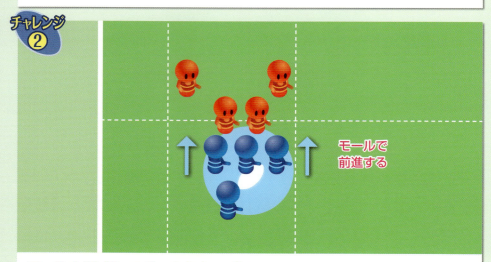

モールを形成してボールをキープする

相手陣内でフォワードが優勢の場合、バックスに展開せず戦術的なモールを形成して前進する。相手から遠ざけるようにモール後方にボールを移し、モールもコントロール。インゴールが近ければ、そのまま押し込んだり、タイミングを見計らいバックスに展開しても良い。

PART3 IQ 31

スクラムハーフ

フェイズを重ねアタックを続けるためには?

ヒント　フォワードが供給するボールをすばやくバックスにまわす

　スクラムハーフは、フォワードとバックスのリンクプレーヤー。フォワードを巧みに使って前に出させ、最後はパスをまわしたバックスの決定力でトライを獲りにいくのが定石といえる。
　ディフェンスとオフェンスのそれぞれの場面では、ポジショニングも変わってくるが、いかにボールにはやく寄るかがポイント。アタックではテンポよくパスを配球して攻撃の起点となる。
　図ではラックからスクラムハーフがパスを出してパスがつながったが、相手ディフェンスも揃っている。この後のスクラムハーフの動きを考えてみよう。

チャレンジ①

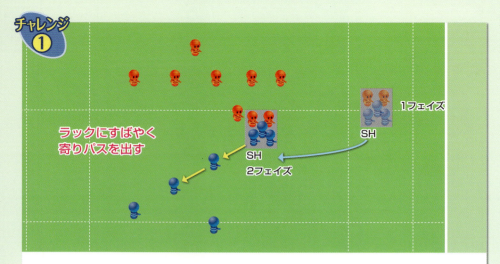

次のラックに向けて動き出し、テンポの良いアタックを継続する

　スタンドオフにパスを出したら、次のプレーを想定して動き出す。コンタクトがあればラックになるのでボールに寄って、テンポを意識して次のパスを出す。パスのスピードとコントロールも重要。受けた選手がキャッチ後にスムーズに次の攻撃オプションに移ることができるパスを心がける。

チャレンジ②

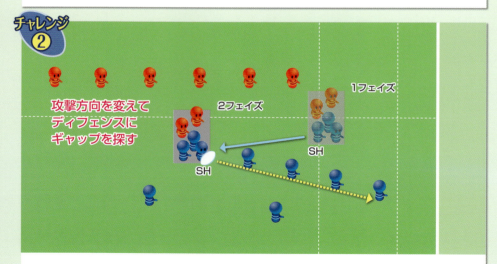

ゲームマネージメントを意識しながら球出しをする

　相手のディフェンスラインやアタックのスペースを見ながら、アタックの方向をコントロールする。ときにはキックを入れて全体的に押し上げたり、フォワードの疲労度を見て球出しのテンポを落とすことも必要だ。得点差や残り時間を考えたゲームマネージメントも必要なスキルとなる。

PART3 IQ 32 スクラムハーフ

ディフェンスが強くて ゲインラインを大きく突破できない

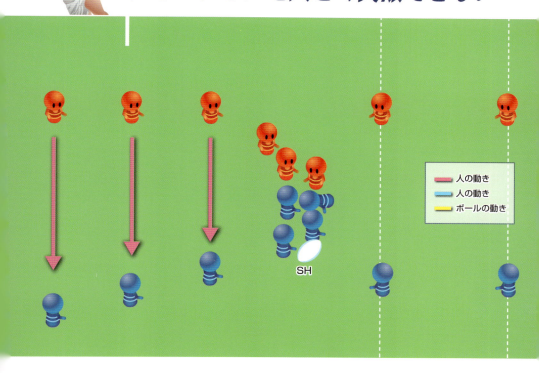

ヒント 相手の出足が良くて効果的な攻撃がでないときは

アタックする上でポイントになるのがボールの継続だ。その上でスクラムハーフは、視野を広く持ち、ベストな攻撃オプションを選ぶことが基本。しかし、ボールを持った選手がドミネイトタックルを受けたり、ゲインラインを越えられないアタックが続くとボールを失うリスクが高まる。

図はボールは継続しているものの、前に出られず、相手に止められたラックのシーン。相手チームの出足がよく、ディフェンスの枚数も揃っている。このときスクラムハーフは、どんな攻撃を選択すれば良いだろうか。

チャレンジ ①

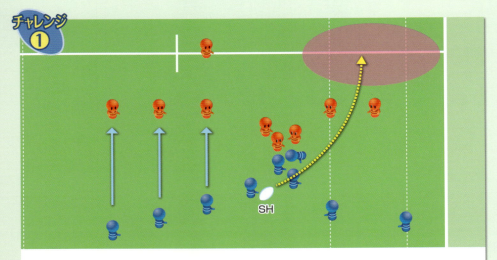

意図したキックでアタックのスペースを広げる

　ディフェンスの出足が良いということは、その裏のスペースが手薄になりやすい。攻撃側は、そこをキックでつく。ディフェンスで出る選手に「キックがある」と思わせることで、出足が鈍くなるだろう。スクラムハーフが、相手を背走させるようなキックを使う。ボールを再獲得できるのが理想だが、できなくてもスペースを広げることができる。

チャレンジ ②

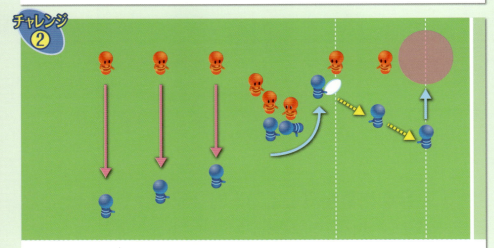

スクラムハーフが持ち出しショートサイドをつく

　ラックになったアタックが順目（この場合、左サイド）への展開だったら、次のアタックではショートサイドへの攻撃も有効だ。スクラムハーフはボールを持ち出し、空いているスペースをランでつく。これに反応した相手ディフェンスが、ボールキャリアーに寄ったところでフリーの選手へパスを出すとチャンスが広がる。

PART3 IQ 33 スタンドオフ

ゲームをコントロールして勝利するためには?

攻撃方向

ラインアウト
SH
SO

人の動き
人の動き
ボールの動き

ヒント 試合の流れを考えて攻撃のオプションを考える

　相手のディフェンスは、スクラムやラックからボールに対して、すばやくプレッシャーをかけてくる。

　スタンドオフはスクラムハーフとともにゲームをコントロールする役目。短い時間のなかでオプションを選択して、オフェンスをコントロールしながらパスやキック、ランを使ってチームを前進させる。

　ピッチ上のどこにスペースがあるか、外や後ろをチェックしながらフェイズの状況をしっかり読んでいくことがポイント。試合時間残り10分、2トライ2ゴール差で勝っている状況で、スタンドオフが考えるアタックのオプションは?

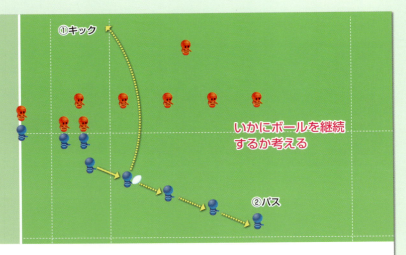

得点差を考えてオフェンスのオプションを選択する

　ゲームメーカーは時間帯や得点差、ゲームの流れ、天候を加味してどういうオプションを選択するかが大切だ。勝っている状況にもかかわらず、キックで相手にボールを渡す必要はない。浅めのオフェンスラインを組んで連続攻撃で時計を進めながら、チャンスを待つのも方法のひとつ。

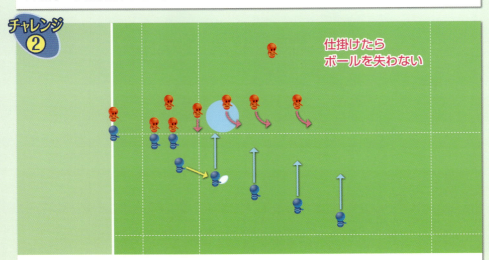

自らランニングで仕掛けてトライを獲る

　スタンドオフは、状況に応じて良い攻撃のオプションを選択するべきだが、チャンスがあれば仕掛けても良いケースもある。トライを獲り切ることが理想。ボールを失うことはNGだ。フェイズを重ねていくうちに、相手ディフェンスに穴が見えたら自分から仕掛けてトライを狙う。

PART3 IQ 34

センター / オフェンス

フェイズアタックで センターはどう走る？

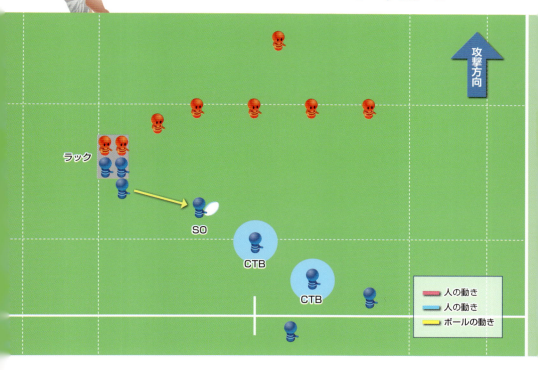

ヒント ボールやコールのつなぎ役となり攻守に貢献する

　センターはゲームメーカーが選択した攻撃オプションを実際のプレーでパスやランを使い、ボールを前に進める。フェイズアタックのなかでは、トップスピードで相手陣に入って行ってポイントをつくる役目がある。ときにはウイングからのコールを聞いて、スタンドオフの選手に伝えるなどの伝達能力も必要だ。

　ボールを受けたら、ゲインラインを切るような縦への突破をすることで、ディフェンスを集中させ、アタックするスペースをつくり出す。「ダミー」や「クロス」などのサインプレーを使ってディフェンスを惑わすことも必要だ。

チャレンジ ①

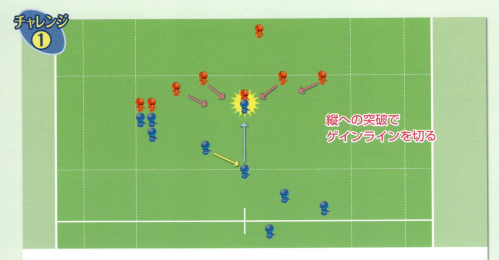

ストレートのコースで入って相手とコンタクトする

縦への突破はセンターの見せ場。トップスピードでボールを受け、そのまま相手陣に切り込んでいく。このときボールをミスキャッチしたり、タックル後に落としてしまうとアタックは寸断されてしまうので注意。走るコースもストレートに入って、相手ディフェンスとしっかりコンタクトする。

チャレンジ ②

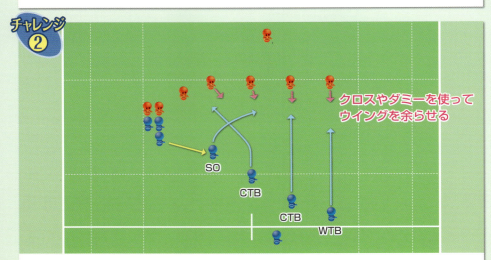

サインプレーを使って大きくゲインする

スタンドオフやインサイドとアウトサイドにいる二人のセンターで、ダミーやクロスのサインプレーを使うことも有効だ。縦への突破を相手ディフェンスに意識させることでサインプレーが効果的になる。

PART3
IQ 35

センター / ディフェンス

ディフェンスにギャップをつくらない組織的な守り方は?

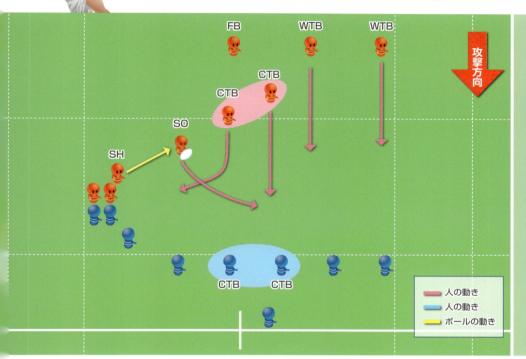

ヒント 他の選手と連携して相手のアタックを止める

　相手のサインプレーに対して、センターのディフェンスは難しい部分がある。特にアウトサイドのセンターは、クロスやダミーに対してコンタクトしたり、マークを追いかけていく必要があり、守備エリアは広い。

　インサイドのセンターは、自分の対面をしっかりチェックしつつ、スタンドオフやアウトサイドのセンターと連携することがポイント。

　チームとしてどのようなディフェンスをするのか理解し、センターだけでなくバックス全体で止めにいく。図の場面のセンターのディフェンスを考えよう。

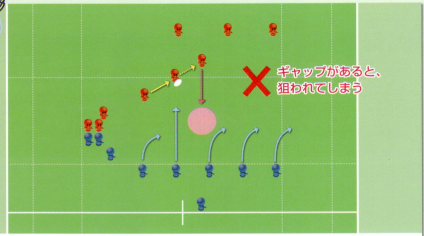

バックス4人の意思統一でディフェンスする

　チームのディフェンスの仕方、ボールがあるエリアによっても守り方は変わるが、「前に出る」「外に追いやる」というディフェンスの基本をチーム全体で組織的に行うことが成功のコツ。相手のサインプレーに惑わされないよう判断力を高めておく。

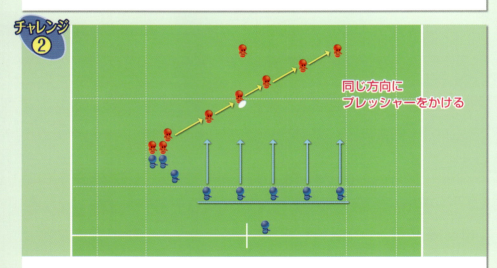

瞬時にディフェンスの方向性を判断する

　プレッシャーをかけるなら、常にチーム全体で同じ方向に圧力をかけることが大事。センターだけが前に突出しても、ディフェンスラインにギャップが生まれてしまう。相手のアタックに対し、前へのディフェンスなのか、外へのディフェンスなのか瞬時の判断のなかで対面のマークをしっかり行う。

PART3 IQ 36

ウイング / カットイン

ウイングが決定的な仕事をするためには？

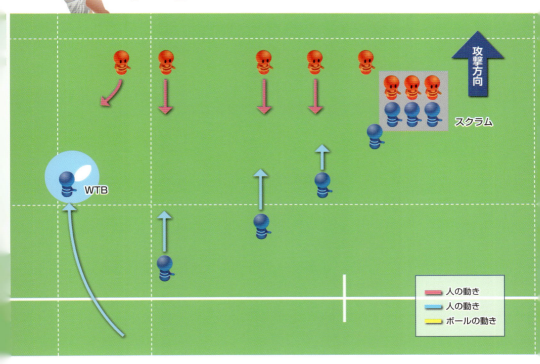

ヒント アタックチャンスをうかがい味方にコールで伝える

　ウイングは、アタックでトライを獲ることはもちろん、ボールを持っていないときでもビジョンを持ち、味方選手にしっかり伝えることが大事。コールのなかで、パスなのかキックなのか、プレーメーカーに伝わりやすい指示を行う。
　外に開いてボールを待っているときも、常にチャンスを探すことが重要。相手ディフェンスのギャップを見つけ、そこにボールを導くウイングとしての「嗅覚」が求められる。図ではタッチライン際でボールを受けた状況。ここからウイングとしての3つ以上の攻撃オプションをイメージしてみよう。

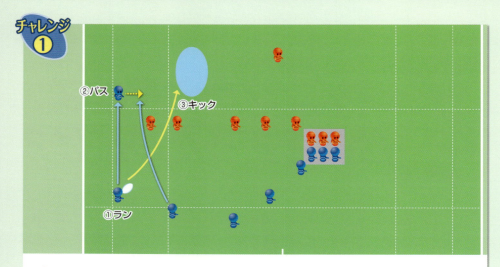

パス、キック、ランニングの攻撃オプションがある

　味方のサポートがいるか、いないかで走ってからのパスのチョイスが変わる。キックを狙うなら相手ディフェンスの裏か、ディフェンスラインの間をチップキックやグラバーキックで狙う。ランニングするなら相手をしっかり抜くことができるスピードとスキルが必要。コンタクトになった場合のオフロードパスなども考えておく。

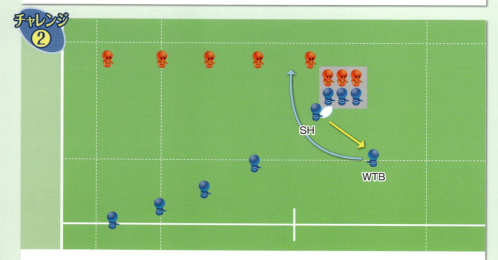

外だけでなく内に切り込んで意表をつく

　ウイングの得点嗅覚としては、外でボールを受けるだけでなく、チャンスを見つけ、様々な場所でボールをもらうことも重要。スタンドオフやセンターの後ろから、内に切り込んでいくランニングやスクラムハーフの外側の攻撃のビジョンをしっかり持ち、チャレンジしていくことがウイングの役目ともいえる。

PART3
IQ 37

ウイング/バックスリーの連携

ディフェンスライン後方の広いスペースを守るには？

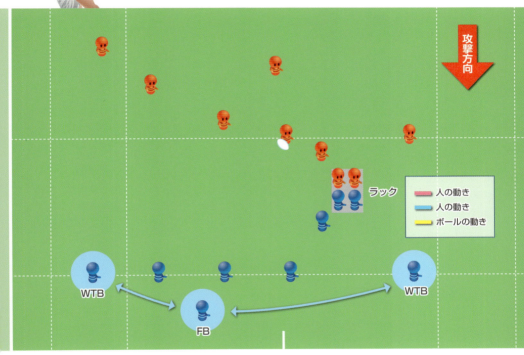

凡例：
- 人の動き（赤）
- 人の動き（青）
- ボールの動き

ヒント バックスリーがつながって広いスペースを消す

　バックスは両ウイングとフルバックの連携がとても重要。バックスリーの動きとしては「振り子」をイメージしながら、バランスよく、広いスペースを連携して守ることがポイントだ。

　守備面でのリスクをできるだけ少なくし、バックスリーがつながり続けていることで、相手のアタックスペースを消しに行く。特に相手のキックに対してのケアは振り子の頂点にいる選手が察知し、ポジショニングすることが大切だ。

　図では相手チームにキックするスペースがある。フルバックのポジショニングを調整しよう。

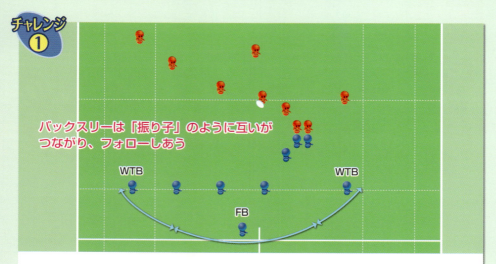

バックスリーの連携でリスクを回避する

　バックスリーがつながり続け、コミュニケーションをとってディフェンスする。アタック側はスペースを見つけてキックしてくるので、スペースを空けないよう意識すること。仮に蹴られてもバックスリーがつながっていれば、キャッチした選手がサポートに入った選手に対してパスをし、余裕を持って次のプレーが選択できる。

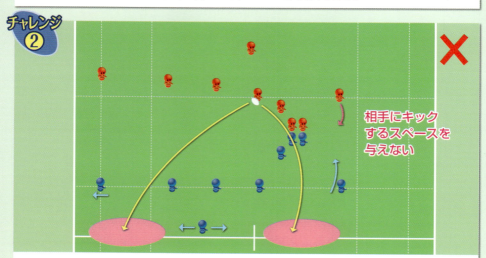

バックスリーがつながっていないとリスクは回避できない

　相手のスタンドオフがディフェンスラインの後ろに蹴ってしまうと、すべての選手が背走になってしまう。バックスリーは、なるべくつながって相手にオプションを与えないディフェンスが重要。個々の選手のスピードやキックの能力にあわせて、距離感を調整することもポイント。

PART3 IQ 38 フルバック

相手キックを処理して良い形でアタックを開始するには?

ヒント フルバックの冷静なキック処理から攻撃をリスタート

　ディフェンスでは、バックスリーのなかで振り子の中心で広大なスペースをカバーしつつ、アタックではときにラインに参加して仕掛けるのがフルバック。

　特に相手チームからのキックへの対応が重要で、遠くに飛ばすキック力はもちろん、ボールをキャッチするキャッチング能力も大切だ。スペースがあれば、相手陣にランニングを仕掛けて大きくゲインするのも役目となる。

　図では、相手チームの高い軌道のキックをフルバックが処理しようとしている状況だ。ここからのチーム全体のアタックオプションを考えよう。

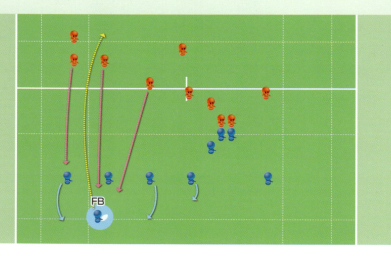

相手チェイスの距離を考えてプレーを選択する

　まずはキックを正確にキャッチしなければならない。相手のチェイスに勢いがあり、22m自陣内で、ダイレクトキャッチした直後のプレーにオプションがないと判断したら「マーク」と叫んでプレーを切る※フェアキャッチも可能。キャッチしてからワンプレーする余裕があれば、キックをスペースに蹴り返して陣地を回復するのも方法のひとつ。

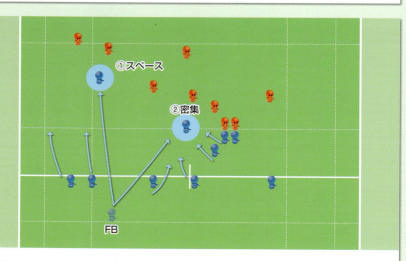

キャッチ後のランニングで相手陣に切り込む

　前にスペースがある場合は、やや後方から勢いをつけてキャッチし、そのままランニングに入って相手陣に攻め込む。ランニングのコースとしては二種類。サポートがあることを前提に、できるだけ相手がいないスペースを探して前に進むか、味方選手がいる密集近くでポイントをつくり、サポートを待つ。

※フェアキャッチの適用は
　カテゴリーにより異なる

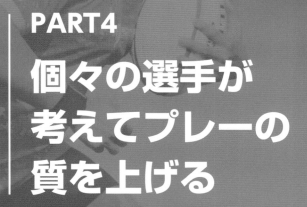

PART4
個々の選手が考えてプレーの質を上げる

PART4 IQ 39 ゲインライン

1つひとつのプレーを より意識するためには？

ヒント ゲインラインを挟んだ攻防を意識する

　スクラムの場合、中央にボールが投入されてプレーがはじまるため、アタック側のチームは、スクラム中央地点（味方と敵との境界線）を越えれば陣地の「前進」、その前で止められれば「後退」となる。前進・後退の見極めとなるのがゲインラインだ。スクラムに限らず、ラインアウトやラック、モールなどでもゲインラインは存在する。

　ディフェンス側は少しでも早く相手をタックルするために、横一直線にディフェンスラインをつくる。攻撃側のボールが出たらプレッシャーをかけ、ゲインラインを越えられないよう守る。

POINT ①

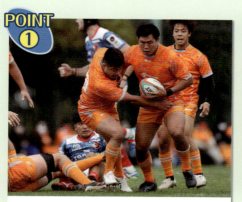

ゲインラインを挟んだ攻防が試合を決める

　アタック側は、常にゲインラインを越えることを意識しながら攻撃を仕掛ける。一方ディフェンス側は、できるだけタックルラインで相手を倒し、ボールの再獲得を目指す。ゲインラインを挟んだ攻防の勝敗がゲームの優勢に大きく影響する。

POINT ②

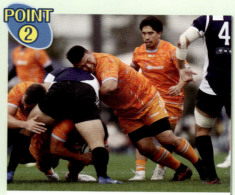

ラック近くはゲインラインとアタックラインの間が近い

　ラックに近いほどゲインラインとタックルラインの間が狭い。ラック近くで攻撃を仕掛けた方が、ゲインラインは近く見えるが、実際はディフェンスの人数が多い。スペースがなく、スピードのある突破が難しいエリア。

POINT ③

展開すればスペースはあるがミスがあると大きく後退する

　ラックから離れた地点で仕掛ければ、タックルラインとゲインラインは開く。アタックするスペースがあり、ボールを持った選手はスピードを高めたり、ステップなども駆使できるが、ミスがあれば、大きく陣地を後退することになる。

プラスワンテクニック

個々の選手の判断スピードを高める

　工夫せず攻撃を仕掛けると、ゲインラインに達する前のタックルラインでタックルを受けてしまう。アタック側のチームは、個々の選手の判断スピードを高めつつ、選手同士のコンビネーションやサインプレーなどで打開していく。

PART4
IQ 40 プレーの原則

チームが一体となって
プレーするには?

> **ヒント** プレーの原則をチームで共有する

　ラグビーは、互いに陣地をとり合うゲームだ。ボールを獲得したら相手の陣地に攻め込み、得点(トライやゴール)することを目的とする。このプロセスを個々の選手が理解し、状況に応じたプレーを考えていくことが大事。そうすることで必要なスキルやプレーの判断基準がわかり、自分がチームに貢献できるプレーも見えてくる。

　ゲームはボールの「争奪」からスタートし、獲得したチームはまず「前進」する。「サポート」「継続」、そして「プレッシャー」を重ねて「得点」を目指す。この一連の流れをチームとして共有しよう。

POINT ①

「争奪」に強いチームは攻撃機会が多い

　ゲームはボールの争奪から動く。これはキックオフに限ったことでなく、試合中は終始ボールの争奪が行われる。これに勝利し、ボールを獲得したチームがアタックを開始し、相手陣に向けて前進していく。「争奪」に強いチームは、攻撃機会が多く与えられる。

POINT ②

強い圧力で相手を倒しボール獲得を目指す

　前進を阻むのがディフェンスチームによるタックルだ。ボールを持っている選手に対してプレッシャーをかけ、ボールの争奪を試みる。より強い圧力をかけていくことで、オフェンスのミスを誘ってボールの再獲得を目指す。

POINT ③

サポートによるチームプレーでボールを継続する

　オフェンスチームのアタックは、ボールを持っている選手だけでなく、サポートの選手のチームプレーによって継続される。1つひとつのプレーを忠実に行うことで、マイボールを維持しながら前進し続け、相手陣のインゴールまで迫ることができる。

POINT ④

アタックのプレッシャーを高めトライを奪う

　相手陣深くまで迫ると、攻撃のスペースが小さくなり、ディフェンスの数も多くなる。アタック側のチームは攻撃の圧力を高めつつ、イマジネーションやアイディアでランやキック、パスのオプションを駆使し、正しいオプションを選択する。得点をとり切ることを目指す。

PART4 IQ 41

ピックアッププレー◆オフロードパス

タックルを受けながら味方にパスするには?

オフロードパス

プラスワンテクニック 声を頼りに体を向ける

倒れて地面につく前に、サポートの選手は投げやすいコースに入って「パス」の声をかける。投げ手は声を頼りに体を向けてパス。両手でも可能だ。

ヒント ディフェンスのギャップをつく

オフロードパスは、タックルされながらパスを出してボールを継続するプレー。ディフェンスのギャップをつき、味方選手がうまく抜け出すことができれば、一気にゲインラインを突破できる。奪われないよう遠い位置でボールを持つことがポイントだ。

PART4 IQ 42 オフロードパス

タックルを受けても攻撃を継続するには?

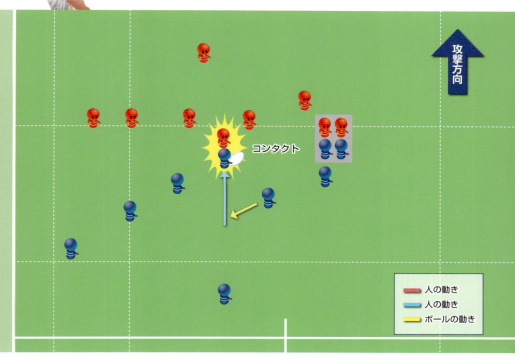

ヒント ボール保持者のサポートに入りパスを受ける

タックルを受けても体勢が崩れていなければ、サポートに入った選手に対してパスを出すことができる。受け手は、出し手の体勢を見ながらランニングコースに入り、「右!(または左)」と声をかけサポートに入る。

ディフェンスは、タックルが決まったことで次の行動に移る。サポートの選手はタイミングよくサポートに入ることができれば、ラックをつくらず継続でき、大きくゲインすることも可能だ。

図はボール保持者がタックルを受けている。サポート選手はどこでパスを受け、ランニングコースに入れば良いか。

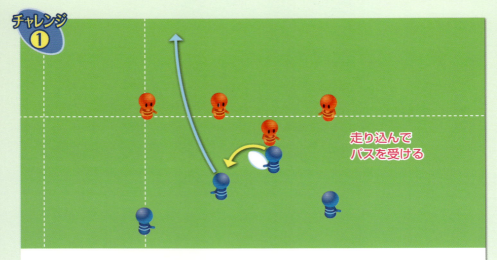

ランニングコースを見極めてパスを受ける

　走り込んでくる選手は、パスを受ける前にランニングコースを見極めて、タイミングよくボールキャリアからパスを受ける。キャッチ後は空いているスペースに向かって走り、ランやパス、キックの中からベストなオプションを選択する。

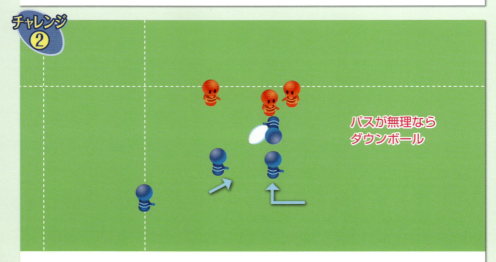

体勢が崩れていたら無理に投げずダウンボール

　オフロードパスは、出し手の体勢が崩れているとうまくいかない。タックルで足は使えない状況でも、体幹の力を使って上半身を維持する。無理に投げてしまうとノックオンやパスミスによってボールを失ってしまうので、ダウンボールでつなぐ。

PART4
IQ
43

バックフリップパス

サイドのサポート選手を生かすためには?

ヒント スペースを生かしつつ、意表をついたパスを出す

　片手でボールを持ってランニングを仕掛けたとき、ディフェンスの選手は、次のオフェンスプレーにおいて「パス」を判断基準におかない。ボールを持っている選手は相手が何を考えて、どのような方法でボールの争奪にくるのかイメージすることが大事。

　サイドの局面においては、相手を追い込みつつ、タックルで仕留めてボールを奪う方法をイメージしている。ランニングする選手は、サポートする選手のスペースを確保できるランニングで仕掛けることが大事。この状況を打開できるプレーを考えてみよう。

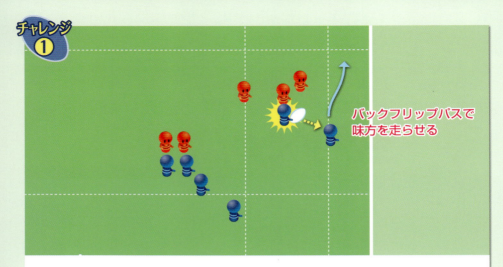

相手にしっかりヒットしてからパスを出す

ボールを持つ選手はトップスピードで入り、相手に対してしっかりヒットするような仕掛けを心がける。コンタクトの状況を見て外のディフェンスが寄ってきたところでバックフリップパスを使い、サポートに入った選手を走らせる。

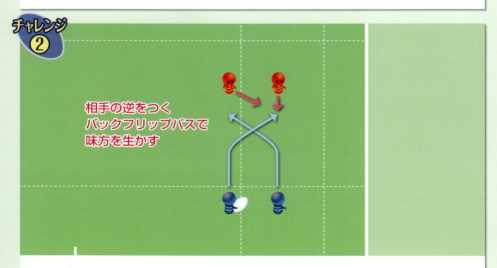

出し手と受け手がクロスして相手の逆をつく

応用のチャレンジとしては、ボールキャリアーがトップスピードで仕掛け、外に流れるようにランニング。外のスペースにいた選手は、内にクロスで入ってボールを受ける。ディフェンスとしては、片手持ちからのパスは読みにくく、逆をつくことができる。

PART4 IQ 44

ピックアッププレー ◆ バックフリップパス

片手持ちから
パスするには？

プラスワンテクニック
体勢が崩れていたらパスしない

タックルによって体のバランスが保てないと、次へのパスにつながらない。無理して投げるとパスミスやノックオンにつながる。

ヒント ヒジを先行させて引き上げる

ボールを持つ選手はトップスピードで入り、前に立ちはだかるディフェンスに対して、しっかりヒットすることで体勢をキープする。ヒジを先行させて、腕を後方に引き上げてパス。オフロードパスの延長として取り組んでみよう。

PART4 IQ 45

ピックアッププレー◆ダブルキャリー

タックルを受けた後に前進するには?

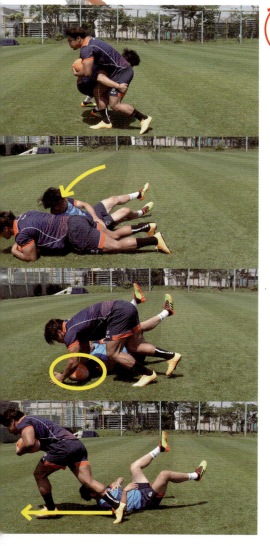

プラスワンテクニック ボールを離さないと前に進めない

タックルを受けた選手は、一度ボールを離さなければならない。地面に片ヒザがついた状態では、まだピックすることはできない。

ヒント タックル後にすばやく立ち上がる

アタックの選手がゲインラインに対して前進し、進行方向に対して前向きに倒れたときは、再度前進するチャンス。ジャッカルにくるディフェンスがいないことを確認し、一旦ボールを離して地面に置いてから、すばやくピックして再び前に進む。

PART4 IQ 46

ダブルキャリー

タックル後に前進のチャンスがあるときは?

ヒント **前にスペースがあれば再び仕掛ける**

　タックルを受けて倒れたときの状況によっては、次プレーにオプションがある。アタックの選手がゲインラインに対して前進し、自分の体勢が進行方向側に倒れ込んだとき、タックルされた選手は、ダウンボールをせず前にボールを運ぶ。

　このプレーはジャッカルにくる選手が遅れ、ボール保持者の前にスペースがあるときが有効。数メートルをゲインしたり、味方サポートを待つために時間を稼ぎ、小さく前に進む。

　図ではコンタクトでオフェンスの選手が前に倒れた状態。ディフェンス・オフェンスともにややサポートが遅れている。

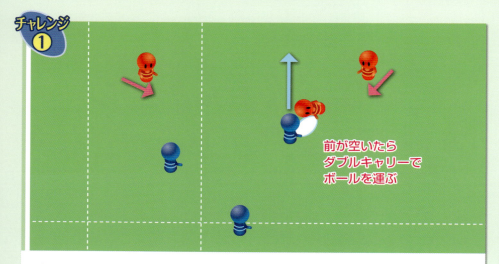

ボールを離してから立ち上がりピックする

　タックルを受けて前に倒れたとき、サポートが遅れていても前方にスペースがあれば、一旦ボールを地面に置いて、すばやく立ち上がってボールをピック。再度ダブルキャリーで、前進する。

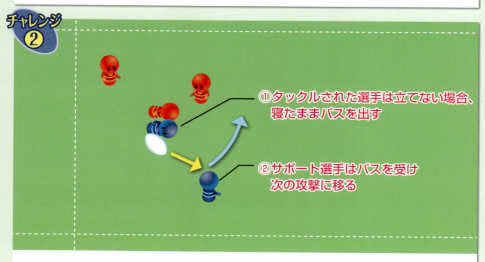

サポート選手に対してポップパスを出す

　倒れた選手は立ち上がらなくても、ワンプレーが可能な体勢なら、サポート選手へのパスも有効。小さく浮かすようなポップパスを走り込む味方選手に対してコントロールする。このときサポート選手は受ける方向をコールすることが大事。

PART4 IQ 47 パスダミー(パスフェイク)

2対1の状況を上手に使うプレーとは?

ヒント 相手と駆け引きしながら確率の高いオプションを選ぶ

アタックで大きくゲインしたときは、トライの絶好のチャンス。ディフェンスは戻りながらの守備となり、数的優位もつくりやすい。

基本のランニングは、まっすぐ前に進み、サポート選手のスペースを確保することだ。しかし状況によっては、相手の動きを見て、駆け引きしながら、より確率の高いオプションを選択する。

図では縦へのランニングで大きくゲインし、相手と2対1の状況になっている。ここからサポートのランニングを生かす方法、自分でさらに前進する方法などをイメージしよう。

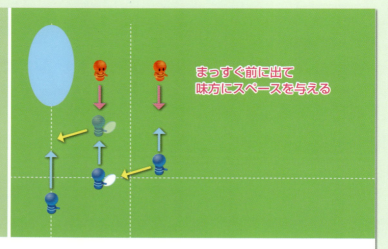

相手を引きつけて外の選手にパスを出す

　大きくゲインしたところであり、オフェンスには有利な状況。2対1をうまく使うためにも、ギリギリまで相手を引きつけて外のサポートにパスを出す。このとき、まっすぐ前に出ることが基本。ステップを駆使すればディフェンスの足は止まり、より効果的なパスにつながる。

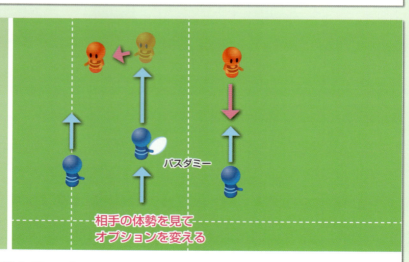

相手の体勢を見てパスダミーから自分で走る

　ボールキャリアはパスモーションに入ったとき、相手の体の方向をしっかり見ることが重要。もし体が外を向いているようなら、パスダミーで自分が走るオプションもある。

PART4
IQ
48

サインプレー

相手の陣形とスペースから どこにチャンスが生まれる?

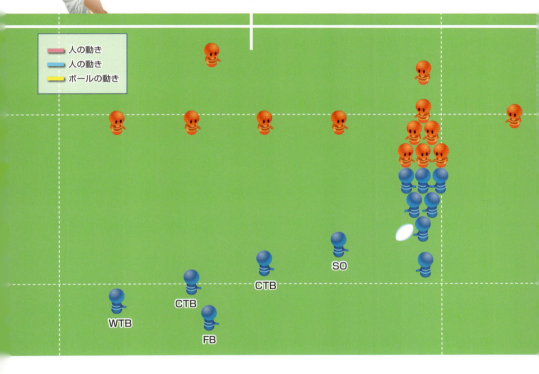

ヒント 布石を打って数的有利な状況をつくる

　スクラムからの攻撃では、相手のディフェンスがバックス全員の一人ひとりをノミネートしているためサインプレーを駆使してマークをズラす必要がある。

　シンプルにスクラムハーフやスタンドオフ、センターが行うループやクロスなどがその例。マークする相手をいかに外し、ディフェンスラインのギャップをつくることが攻撃の成功の鍵を握る。

　特にバックスリーの攻撃参加は数的有利を導く、重要な要素。スクラムからのアタックで、どのように攻撃を仕掛けて相手を崩していくか、バックスリーの攻撃参加の形とタイミングを考えよう。

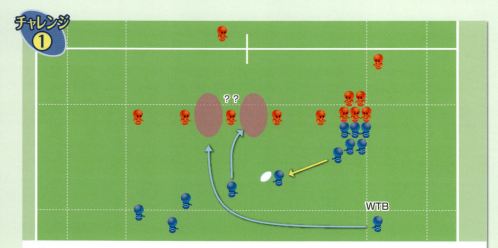

ブラインドウィングを使って一次攻撃を仕掛ける

　相手ディフェンスが整っているマイボールスクラムでは、サインプレーを使ってギャップを生み出していく。一次攻撃では、一気に抜け出すようなプレーでなく、センターが相手選手の間に突っ込みポイントをつくる。別の方法としては、ブラインドサイドにいるウイングが入ってくるパターン。相手ディフェンスを惑わすことができる。

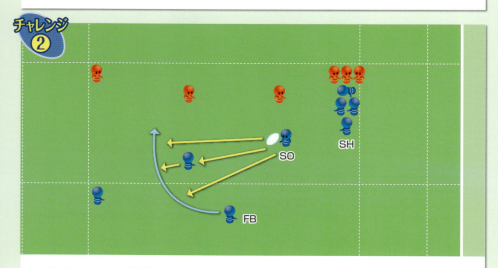

フルバックの攻撃参加で一気にラインブレイク

　一次攻撃でできたポイントから二次攻撃を仕掛ける。スクラムハーフはすばやく球出しし、スタンドオフへ。スタンドオフは隣りの選手をおとりに使って、攻撃参加してきたフルバックにパスする。このとき、タイミングを合わせておとりとなるプレイヤーの裏や飛ばした外にパスが出せるとアタックのバリエーションが広がる。

PART4 IQ 49 キックの攻撃オプション

オフェンスの狙いどころを考えた効果的なキックは？

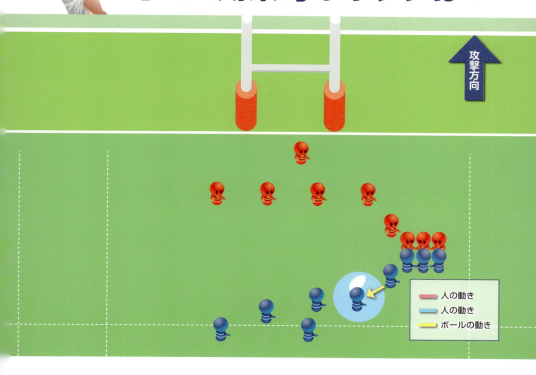

人の動き
人の動き
ボールの動き

ヒント 得点に直結するキックを狙う

　キックにはいくつかの種類があって、距離を稼いで相手を後ろに押し返すようなキックや、イーブンな位置にボールを上げて再獲得を目指すキック、空いているスペースを狙うキックパスなど状況に応じて使い分ける。

　位置や距離の長さによってキックの球質を蹴り分けることもポイント。

　図ではプレー中にボールを持つ選手がキックのモーションに入った。このときのキックを使ったオフェンスのなかで、チップキックやグラバーキック、ドロップゴールなどの狙いどころをイメージしてみよう。

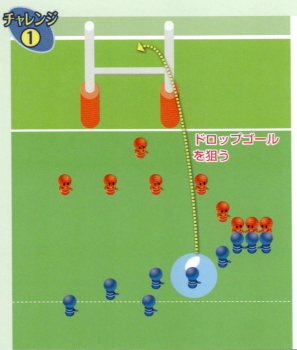

正面のドロップゴールで3得点を狙う

ほぼゴール正面の位置なので、対面のディフェンス選手が前に出ていない状況ではドロップゴールが狙える。得点差を考えて効果的なキックとなるなら、相手が伸ばした手でチャージされない位置からチャレンジしても良い。相手ディフェンスがラックサイドに寄っているなら、オープンに開いている味方へのキックパスも有効。

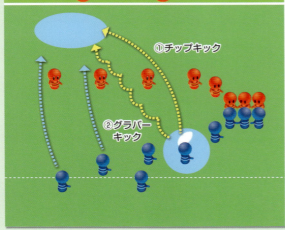

相手の裏をついてボールを再獲得する

相手のプレスが前掛かりなら、裏のスペースも有効に使う。走りながらの①チップキックで自分がボールを再獲得を担う。または、味方選手を走らせる②グラバーキックも狙いのひとつ。キックのタイミングで味方選手に合図をコールし、一斉に走り出す。

PART4　キックの活用

IQ 50

自陣マイボールの スクラムをどう活かす？

ヒント 優れたキッカーがいるチームはどんなプレーを選択する

　スクラム同士の押し合いがないルールでは、安定的にボールが出せるスクラムは攻撃チャンス。図のようなセンタースクラムは、スタンドオフの位置どりやサインプレーによって多彩な攻撃が可能だ。
　一度センターが突っ込んでポイントをつくり、次フェイズで外までまわすのも方法のひとつ。当然、相手はそのようなアタックを想定したポジショニングをしてくる。
　このとき注目したいのが、相手チームのスクラムハーフとバックスリーの位置だ。スタンドオフのキックの精度が高いときに狙えるプレーを考えよう。

チャレンジ ①

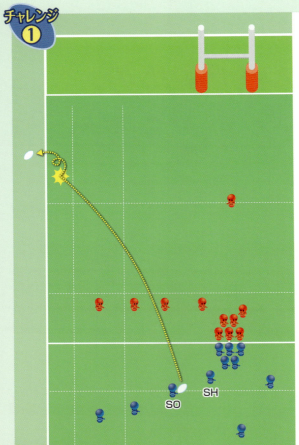

50:22ルールを活用して チャンスを拡大する

　自陣から蹴ったボールがグラウンド内で弾み、22メートルラインとゴールラインを結ぶタッチに出た場合、新しいルールの適応となる。この「50:22ルール」では、出た位置から蹴り込んだ側のマイボールラインアウトとなり、これまでの相手ボールラインアウトとなった旧ルールと比べると攻撃側が有利。距離感に優れ、コントロールの精度が高いキッカーがいるチームは、22メートルライン目掛けてキックを蹴り込むことが有効だ。

チャレンジ ②

バックスリーの 位置と動きをチェックして 攻撃を組み立てる

　ランやパス、キックなど攻撃のオプションを考えるとき、ディフェンス側のチームのバックスリー（ウイング二人とフルバック）のポジショニングや動きを見極めることが大事。ウイングが前に出ているのか、下がっているか。フルバックが左右のどちらかに寄っているのかなど、スペースを把握し攻撃することがポイントだ。

PART4
IQ 51 キックパス

ピッチをワイドに使って アタックするには？

ヒント 大きくボールを動かし味方を走らせる

ディフェンスのギャップをつくり出すために、ボールを持つオフェンスのチームは、パスやラン、キックなど、さまざまなアタックのオプションで攻撃を仕掛けていく。

ボールの争奪が優勢で、ラック周辺に相手ディフェンスが集まっていれば、外のスペースが有効に使える。

図では右サイドのタッチライン近くでラックになり、オフェンスラインの準備ができたところ。ディフェンス側の選手は、ラックに寄り過ぎて大外のスペースが見えていない。ここで仕掛けるアタックオプションは？

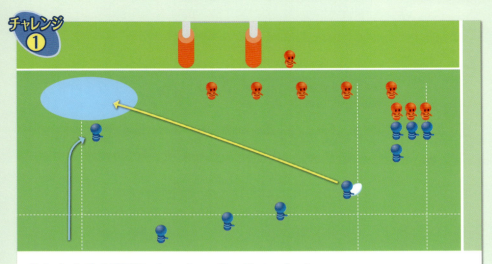

走り出す味方選手にキックでピンポイントパス

　スタンドオフがボールを受けたとき、大外にいるウイングの選手は前に走り出す準備ができている。インゴールに向かって走るウイング目掛けてピンポイントでキックパスを出す。ダイレクトでキャッチするか、バウンドしたボールをインゴールで抑え込む。

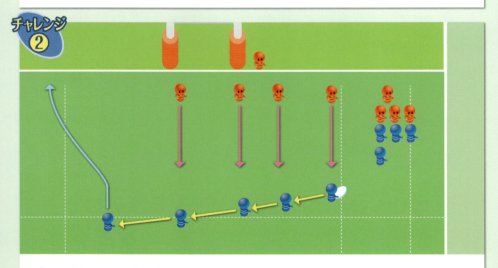

パスを使ったアタックを継続する

　相手ディフェンスラインができ、個々の選手がノミネートされていれば、外のスペースはなかなか使えない。縦への突破や横の揺さぶりなど、パスを使ったアタックで外にギャップをつくったり、相手ディフェンスラインをこじ開ける。

PART4 IQ 52 ブレイクダウン

ディフェンスの枚数を揃えるためには?

ヒント ボールが出そうになったらディフェンスを

　ボールの争奪場面であるラックなどのブレイクダウンでは、タックルの状況やサポートの数によって優劣が生じる。

　オフェンス側の選手はすばやくサポートに入り、いかに密集からはやくボールを出すかがポイントになる。

　ディフェンス側は、ターンオーバーを狙いつつも、ボールを獲得できない場合は圧力をかけ続け、スムーズな球出しを阻止する。

　図ではラックの攻防でアタックしているチームが、ボールを出そうとしているところ。ディフェンスチームはどのような守り方をすれば良いだろうか。

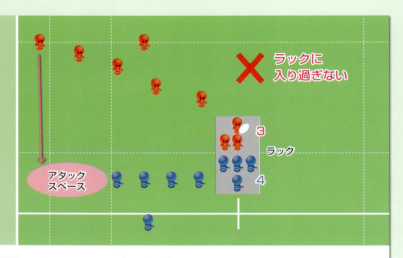

ボールを獲得できないときは必要以上にラックに入らない

　ボールの争奪戦がほぼ終わり、ボールがオフェンスチームから出ようとしている状況なら、ディフェンスチームはラックに対して選手の数が多すぎる。ディフェンスラインが広がっていないため、オフェンスチームのバックスには、外にアタックできるスペースがある。

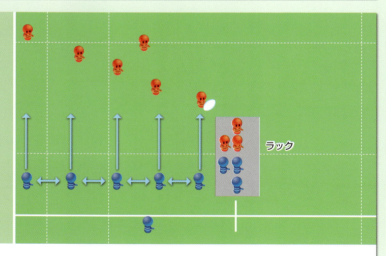

ボールが出る前にディフェンスラインをつくる

　守備側は、ラックの優劣を見極め、再獲得のチャンスがないと判断した場合にはすばやく密集サイドから順番にディフェンスに立ち、外へ外へとラインを広げていく。対面の選手をしっかりノミネートできれば、ディフェンスラインが完成したといえる。

PART4
IQ 53

キックオフ

有利な状況からゲームをスタートするキックは？

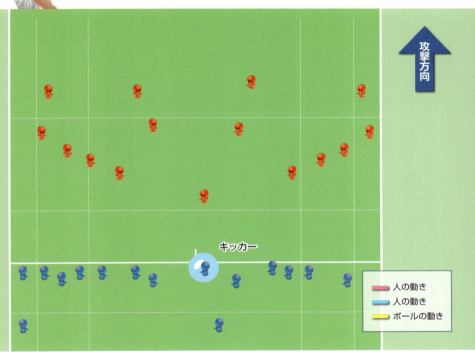

攻撃方向

キッカー

人の動き
人の動き
ボールの動き

ヒント 目的と狙いを決めてキックをコントロールする

　キックオフは、ゲーム開始後のボール争奪場面。キックするチームは、戦術的にキックするポイントを決めてプレッシャーをかけたり、キックの軌道を変えたり工夫しながら、相手のキックオフリターンを防ぎ、ボールの再獲得を目指す。

　ハーフウェイラインで一線に並び、中央のキッカーがドロップキックを入れる。キッカー以外はチェイスして、ボールに競ったり、キャッチした選手のディフェンスに入る。

　このとき何人かの選手は、相手チームのキャッチ後のキックに対応するために自陣に残るのが基本だ。

相手陣の深いところにボールを蹴ってゲームをスタートする

　ドロップキックを高く上げて、相手陣の10m〜22mライン中間から後方を狙う。ボールが浮いている間にディフェンスラインを押し上げて、相手陣の深い位置でキャッチさせることでプレッシャーをかけていくのが狙い。相手がボールをキャッチし、ラックやモールをつくったらディフェンスラインを再構築する。

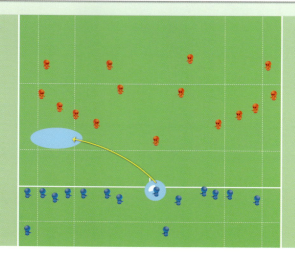

10mラインのギリギリにボールを入れて再獲得を狙う

　相手陣10mラインのギリギリに落ちるようなボールを入れる。距離が短いため、味方選手がボールを競り合うことができ、マイボールにできるチャンスが高くなる。コントロールをミスすると10mラインを越えなかったり、タッチラインを割って相手ボールになってしまう。

ハンドオフ

1対1に勝ってインゴールに飛び込むには?

ヒント　ボールを持たない手を使って相手をかわす

　ハンドオフは、ボールを持っている選手が密集から抜け出した場面やサイドをランニングする場面で使うプレー。

　タックルにきたディフェンス選手の肩や体をボールの持っていない手で突き飛ばす。ステップではかわし切れないときに、腕を使って相手と距離をとったり、牽制することもできる。

　ハンドオフを決めるポイントは、相手の姿勢や位置を見て使うこと。力を加える方向によって、相手の体勢の崩れる方が変わる。最初から手を伸ばしていると、腕を跳ねのけられてタックルに入られてしまうので注意。

チャレンジ ① 前からのタックル

前からくる相手には、頭をさげたところに上から下へ押す。

チャレンジ ② 横からのタックル

横からくる相手には、腕を伸ばして間合いに入らせない。

チャレンジ ③ 後ろからのタックル

後ろからくる相手は胸を押して、走りに勢いをつける。

✕

最初から手を伸ばしていると、払われてタックルに入られる。

PART4 IQ 54 キックの処理

背走しながらキックされたボールを処理するには?

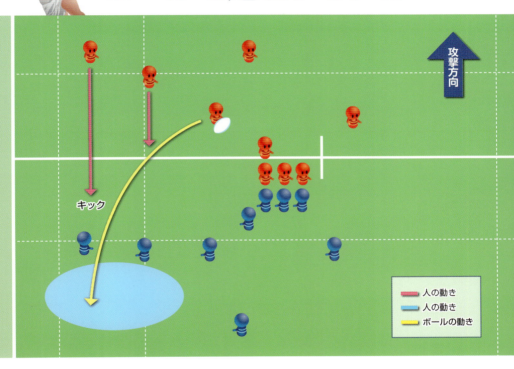

ヒント チェイスしてくる選手との距離感で判断する

　試合によっては、ゲームのこう着状態を打破するために、「キック合戦」で互いのチームが陣地を取り合う時間帯がある。この状況を有利に運ぶのが、キックする選手の飛距離とコントロール、キャッチする選手の処理能力だ。

　相手に背後にキックされたときは、慌てずに処理することが大事。ボールが不規則にバウンドしても冷静に対応して最善のオプションを選択する。

　図ではウイングの背後にキックが蹴られたところ。相手がチェイスしてくる状況で、背走するウイングは、どのようなプレーで打開すれば良いだろうか。

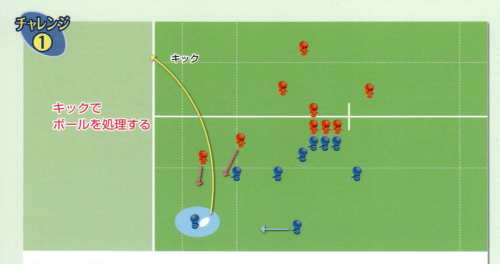

相手と距離があるときはキックで押し返す

　少し相手と距離がある場合は、落ち着いてボールを捕球してからのキックで、タッチライン外に蹴り出す。振り向きながらのキックとなるので、体勢を安定させながらしっかりミートすることを心がける。

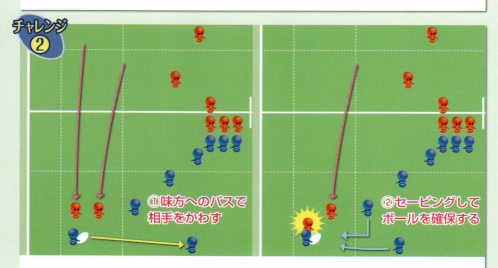

相手の距離に応じてオプションを変える

　相手がギリギリまで迫っている場合、ボールを捕球していれば①横にいる味方にパスして相手をかわす。パスする時間もないような場合は、②セービングしてブレイクダウンをつくりボールを確保する。

PART4 IQ 55 キックの処理とルール

ゴールライン付近のボール処理でルールはどう変わる？

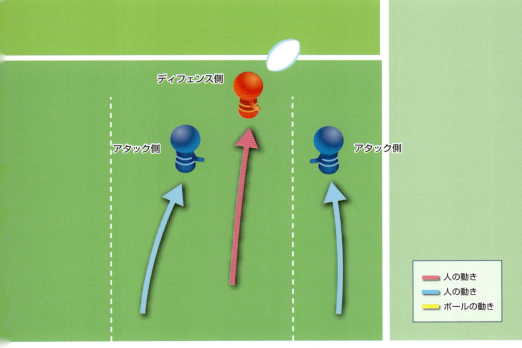

ヒント インゴールにボールを持ち込んだのが誰か考える

　アタック側のチームが、ディフェンスの背後にボールを蹴った状況をルール面から考えてみよう。蹴られたボールが、ゴールライン付近まで飛んだとき、蹴り返す余裕がない状況。追いかけるディフェンスの選手がどのような対応をするかで適応されるルールに違いがある。

　基本は相手よりも先にボールを確保し、トライされる可能性を排除すること。ここで緩慢なプレーは許されない。
そのなかで相手との位置関係やボールの勢い、ボールの転がり方をしっかり見ながら、自チームがピンチを脱するプレーを選択することが求められる。

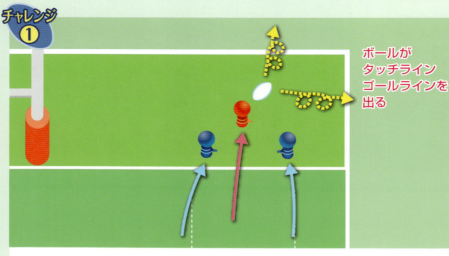

マイボールスクラムからピンチを脱する

　ボールに勢いがあり、誰も触らないままタッチインゴールラインやデッドゴールラインを割ったら、ボールを蹴った位置のスクラムか、22mドロップキックで蹴られた側のボールでゲームが再開される。マイボールスクラムが安定していればアタックを仕掛けたり、キックでエリアを獲得することができる。インゴールの広さは事前に把握しておく。

インゴールに入ったボールを抑える

　ゴールラインを超えたボールをディフェンス側の選手が抑えたとき、ボールを持ち込んだのはキックした側のチームとなるため、蹴られた側のチームのゴールライン上からのドロップキックでゲームが再開される。

守備側がインゴールにボールを持ち込む

　ゴールライン手前でディフェンス側の選手がボールを確保したが、相手のプレッシャーが強く、そのボールをタッチダウンしてしまった場合は、5mライン上での相手ボールのスクラム。

PART4
IQ 56

ペナルティ後のリスタート

相手ペナルティの直後でクイックスタートの狙いは？

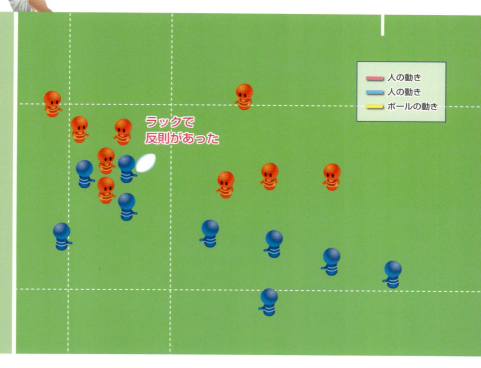

ラックで反則があった

人の動き
人の動き
ボールの動き

ヒント 守備が整う前にスピーディーな攻撃を仕掛ける

　ペナルティによってボールを獲得したときは、距離や得点差に応じてペナルティーゴールを狙ったり、タッチに蹴り出してからのマイボールラインアウトからアタックを仕掛けるのがセオリー。

　しかし、相手の守備が整っていない状況では、ボールを持った選手がクイックスタートを仕掛けるのも方法のひとつだ。図は、青チームが大きくゲインしたところでのラックで赤チームに反則があったシーン。レフリーの笛が鳴った直後、ボールを持った選手は何を見て判断し、どんなプレーを選択すれば良いだろうか。ペナルティゴールではなく、トライを目指す。

129

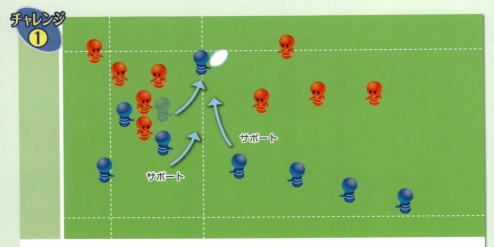

すばやく仕掛けてアドバンテージを得る

　相手が10メートル下がっていなければペナルティーをとられたチームの選手は、反則があった地点から10メートル後方に下がらなければ「ノット10mオフサイド」の反則となる。このような状況で、ボールを獲得した側の選手がクイックスタートを仕掛けて相手につかまったとしても、再度マイボールでプレーを開始できる。ボールを持った選手は、すばやく前進しサポートを受けながらボールを展開することをイメージする。

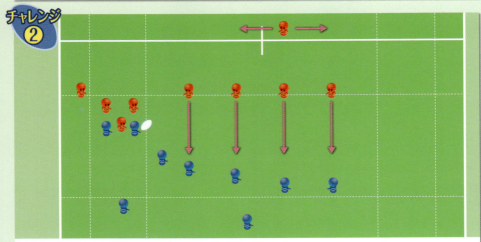

相手ディフェンスが揃っていたらクイックスタートは使わない

　ペナティの笛が鳴った直後、相手が10mさがってディフェンスがセットされたときは、クイックのスタートは有効ではない。せっかくのチャンスをものにするためにも冷静な判断が必要だ。点差や距離によっては、タッチに蹴り出してラインアウトや3点をとりに行くペナルティゴールも方法のひとつ。またはマイボールスクラムで用意しているサインプレーから相手を崩していく。

PART4
IQ 57

トランジション①

攻守の切り替えを すばやくするには?

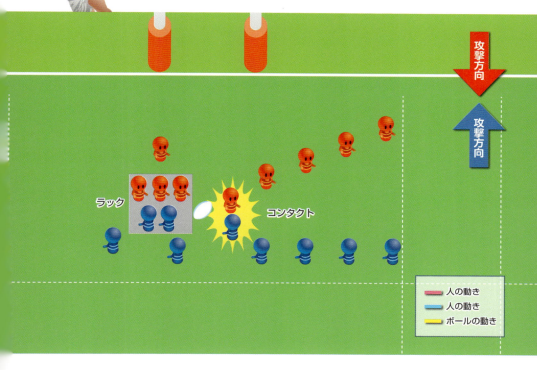

ヒント ルーズボールに反応して再獲得する

　ボールの争奪場面では、思わぬところでボールが転がり攻守が逆転することがある。どちらのチームもボールを獲得していない状況をトランジションという。
　このトランジションでボールを獲得し、すばやくオフェンスを構築できれば、アタックチャンスにつながる。一方の攻撃から一転して守備にまわったチームは、ディフェンスラインを十分に組織できなくなることが多い。
　図ではラックでディフェンス側にボールが転がって出たところ。ここからのボールに近い選手の動きとオフェンスラインのつくり方に注目してみよう。

チャレンジ ①

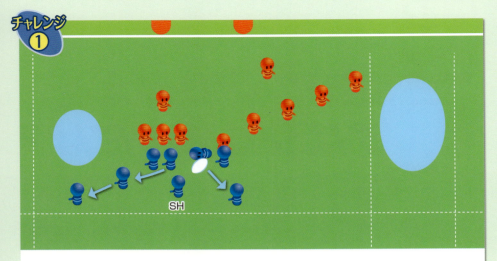

セービングでボールを獲得してパスでスペースにボールを運ぶ

密集サイドにいる選手が、すばやくセービングしてボールを獲得する。このとき、前が空いていても無理に突破をはかると孤立してしまう。ダウンボールのように丁寧にボールをつなぎ、スクラムハーフはサポートに入って有利な方向のアタックラインにパスを出す。

チャレンジ ②

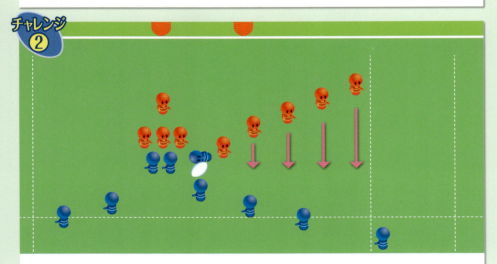

すばやくラインを形成してアタックを展開する

トランジションからのアタックライン構築は、スピードと攻守の切り替えが大切だ。マイボールに切り替わったことをコールで知らせ、すばやくラインを形成する。スクラムハーフは冷静な判断から、ディフェンスのギャップを探したり、人数が多いアタックラインにボールをまわす。

PART4
IQ 58

トランジション②

ターンオーバーから どんなアタックをイメージする？

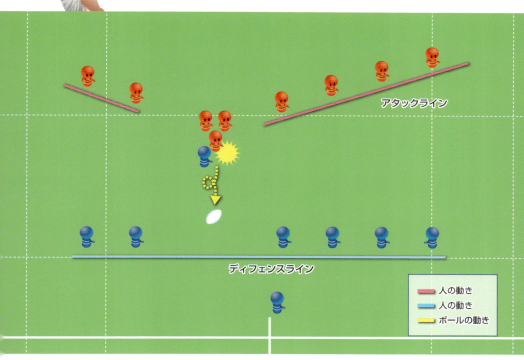

ヒント トランジションからのターンオーバーでチャンスを拡大する

　どちらかのチームが保持していたボールが一旦、トランジションの状態となりディフェンスしていたチーム側にボールが渡ったときは得点チャンス。ターンオーバーアタックといえる、この機会をモノにするかどうかがポイントだ。

　図はボールキャリアーへのドミネイトタックルが決まり、ディフェンス側にボールがこぼれてきたシーン。このときディフェンスだったチームは、ターンオーバーで攻撃チームに変わる。いかにチームとして意図を持ってアタックを仕掛けていくかが大事。ここからのターンオーバーアタックを考えてみよう。

133

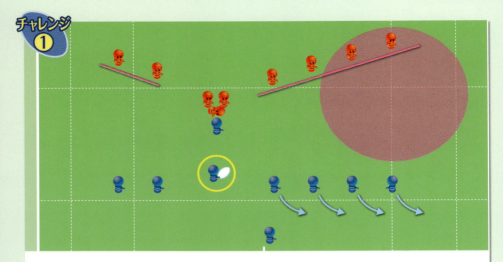

パスやキックが巧みなプレーヤーにボールを渡す

　ボールを獲得したチームは、パスやキックが得意な選手にボールを渡し、複数のアタックのオプションを確保する。相手のラインがアタックポジションにとどまった状態なら、オープンサイドにパスやランのスペースがある。すばやく外に展開してアタックを仕掛ける。このときショートサイドにも攻撃チャンスがあると効果的。

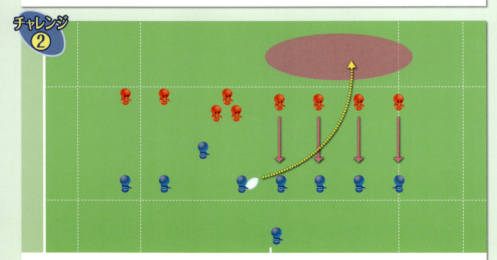

後方スペースにボールを蹴って走り込む

　相手ディフェンスが前に出て、パスやランの攻撃に備えてきたら、後方にキックを蹴り込むスペースが生まれる。アタックラインが浅いときは、キックしたボールに対してチェイスしやすい。ボールを持つ選手は、走り込むプレーヤーがキャッチしやすいボールをスペースに蹴って再獲得を狙う。

PART4 IQ 59 アタックのオプション

スキをみたラインブレイクで攻撃側のプレーヤーはどう動く？

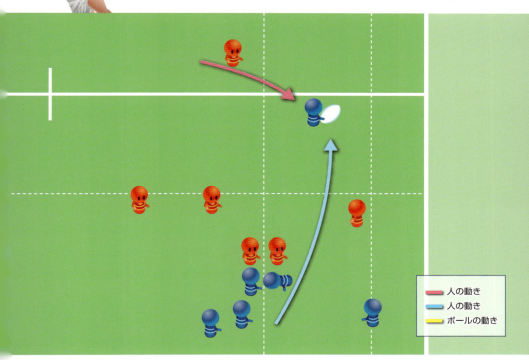

凡例：
- 人の動き（赤）
- 人の動き（青）
- ボールの動き

ヒント アタックのオプションを複数持つことが基本

用意したアタックではなくても、相手のスキを見て大きくゲインラインを突破できることがある。ボールキャリアーとタックラーに体格やスピードの優劣があったときなどが、その例といえる。図はラックがてきた直後にボールをピックアップして、ショートサイドをついた。

ボールキャリアーは、ブラインドサイドを一気に走り大きくゲインしたが、相手フルバックが追いかけている。ボールキャリアーの孤立は避けたいところだが、このときボールキャリアーのすべきこと、まわりの選手も含めてどのようプレーを意識すべきか考えてみよう。

135

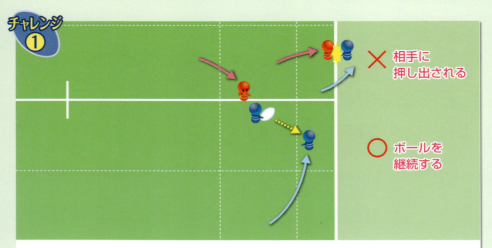

いかにボールを継続できるか意識してプレーする

　ボールキャリアーは、抜きにかかることは良いが、タッチの外に出てはいけない。ライン際に追い詰められないようランニングコースを考える。相手とコンタクトする前なら、パスやキックの選択も可能になる。タックルを受けて倒れてしまうと、パス（オフロード）ができなくなるだけでなく、ターンオーバーのピンチに陥るので注意が必要だ。できるだけボールをキープし、味方のサポートが追いつくまで倒れないことが大切だ。

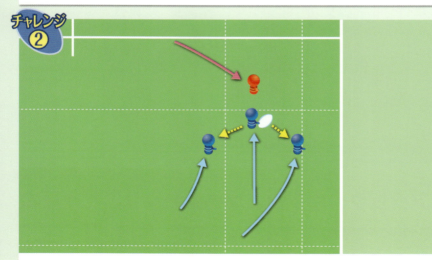

それぞれの役割でサポートに入ってボールを継続する

　ボールキャリアーがタックルを受け、倒れたところで孤立してしまうとターンオーバーされてしまうので、まわりの選手はすばやくサポートに入る。ボールキャリアーに対して2つ以上の攻撃オプションを持たせることが大事。内と外で味方がついてパスをもらえる位置に走り込む。

PART4 IQ 60

得点差と時間を考える①

タッチライン際の局面でどんなプレーを選択する?

ヒント 得点差とサポートの有無を考えてプレーする

　同点で迎えたラストワンプレー、自陣ゴール前のラックから出たパスが展開され、外で受けた選手が、ライン際を走り出した。このまま先に進めば、フルバックとの１対１になる。ライン際に押し出される可能性はあるが、わずかながら走り抜けるコースも見えている。

　一方、内は切り込むスペースはあるものの、相手サポートが入っている。自陣ゴール前で長い時間ピンチが続いたため、自チームのサポートが得にくい状況。パスの届く範囲に味方も走っていない。ボール保持者はどんなプレーをすれば良いだろうか。

チャレンジ ①

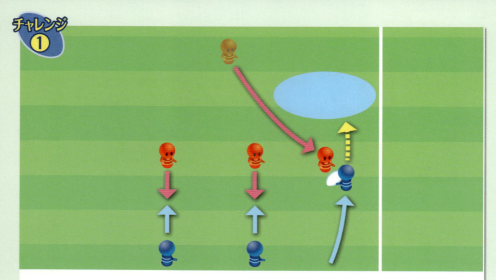

走りながら後ろのスペースにキックを出す

　トライを狙うならキックも有効なプレーだ。グラバーまたはチップで後方にキックする。相手は背走しながらの対応となるので、捕球からのカウンターは難しく、サポートも受けにくい。相手が処理に手間どればチャンスが拡大する。

チャレンジ ②

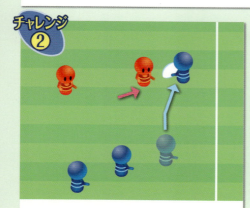

1対1の勝負を挑み
勝ち越しトライを目指す

　タッチに簡単に押し出されてしまうのはNG。しかし、ステップとスピードで相手をかわすことができれば、チャレンジしても良いプレー。振り切ることができれば勝ち越しのトライ、押し出されても同点でゲームが終わる。

チャレンジ ③

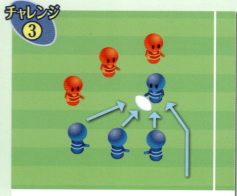

内に切り込み
ボールを継続する

　内に切り込むプレーで味方選手とボールを継続する。サポートがくる時間をいかに自分がつくり出せるかがポイントになる。相手のタックルが早々に決まり、ターンオーバーされてしまうと再び相手ボールからの攻撃となるので注意が必要。

PART4
IQ +α

得点差と時間を考える②

選手が考えたことをプレーで体現するには?

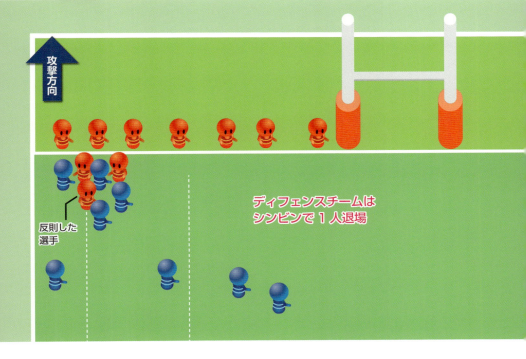

攻撃方向

反則した選手

ディフェンスチームは
シンビンで1人退場

ヒント 「同点狙いか、勝利を目指すか」選手のたちの選択は

ラグビーワールドカップでも語り継がれている名シーンは、ゲーム終盤の残り時間3分だ。密集で反則があったため、Bチームにペナルティーキックが与えられた。スコアは32-29。AチームがBチームをリードしている。ペナルティーキックは、同点に追いつく絶好の機会だ。

Bチームには優秀なキッカーもおり、高い確率でゴールが決まるだろう。同点でゲームが終わったとしても、格上といわれたAチームに対して大善戦ともいえる内容だった。このときキャプテンを中心に選手の輪ができた。このチームが選んだアタックオプションを考えてみよう。

139

選手全員で意思統一してアタックを仕掛ける

　Bチーム、つまり2015年ワールドカップ南アフリカ戦の日本代表チームは、相手がシンビンで人数を欠いている状況を冷静に判断し、トライで逆転を狙う攻撃オプションを選択した。このとき、ヘッドコーチはキックを指示したといわれているが、「同点では歴史は変わらない」という選手全員の思いが、その後のアタックで体現されたといえる。結果、逆転トライで歴史的な1勝を手に入れた。

「頭」を使ってプレーすることは無限の可能性を秘めている！

巻末 IQ インタビュー

PART4 IQ +α

クボタスピアーズでは、2014年より「U15育成プログラム」の活動を通じ、中学生ラガーマンにラグビーをする環境や機会を提供してきた。現在は小学3年生から6年生のクラスも新設し、アカデミーとして活動している。栗原コーチングリーダーに活動方針とリーグワンチームが持つ指導ノウハウについて聞いた。

栗原コーチングリーダー…まずは子どもたちが、「楽しみながら、長くラグビーができる環境を整えたい」というのが一番ですね。コンタクトスポーツですからケガもありますが、安全面に配慮し、しっかりとした基礎やスキル、テクニックをこのアカデミーで身に付けることを目的としています。その上で、所属するスクールで活躍したり、試合で活かす機会が増えることが理想ですね。

「アカデミー」なのでチームとして活動はしていませんが、月ごとにテーマを設けて、それに沿った3～4回のトレーニングを組み立てます。練習はウォーミングアップの後に、ハンドリングスキルやコンタクトスキルを実施し、その日に習ったスキルを活かせるようなゲーム形式のトレーニングを行います。相手のプレッシャーがあるなかで、しっかりスキルが遂行できるかに着目しています。

―成長期の前後や体格差によってフィジカルに優劣があります。ケガ防止ではどのような対策をとっていますか？

栗原コーチングリーダー…月のトレーニング計画のうち、後半に向けてコンタクトの強度を高めていきます。スタートの1回目、2回目はコンタクト強度の低いなかで基本に忠実にプレーできるよう指導しています。

ゲーム形式を行う際のチーム分けでは、参加者の体格を考慮したり、学年をまたぐような1年生と3年生のマッチアップなどは避けるようにしています。

初心者の場合は、別指導をしていますし、ある程度、基本がてきている経験者には、失敗してもいいからどんどんチャレンジしてもらい、トレーニング後に振り返りできるような環境を整えています。

―育成世代のラグビーは、部活動だけでなくラグビースクールやクラブチームでの活動も展開されています。

栗原コーチングリーダー…ミニやジュニアなどラグビースクールで指導されているコーチの方々には頭が下がる思いです。私たちも各大会等を観に行きながら、ミニやジュニアラグビーの現状を知った上でアカデミーの練習メニューを考えるようにしています。

一方で日本で行われたワールドカップ以降、ラグビーの取り巻く環境も大きく変化していることも確かです。ラグビースクールでは「お父さんコーチ」が熱心に指導されていますが、毎年のようにコーチの入れ替わりをするスクールも少

なくありません。クボタスピアーズとしても子どもたちにとってのコーチ環境の充実という視点で、コーチ育成にも取り組んでいきたいと思っています。

実際にJRFU公認C級コーチエデュケーター資格を取得し、主にスクールコーチを対象にC級コーチ資格講習会を実施するなど、コーチとしての学びの場を増やす活動も行っています。

―ラグビースクールでは、学年ごとのチーム構成となり、選手の体の大きさや成長度合いに即した練習メニューが用意されていない傾向があります。なかには勝利にこだわるというコンセプトのチームもあります。

栗原コーチングリーダー…ここ数年は、プレーヤーの安全やウエルフェアについて重視されています。ただラグビーを教えているだけではなく、安全を考慮した上で、しっかりスキル向上ができる、ということを意識してコーチングすることが大切です。そういった意味で、私たちの経験を子どもたちにどう還元していくかです。

タックルひとつにしても、グリップの仕方とか首の使い方など、細かいところまで指導してあげることが理想です。

もっといえば、テクニックの指導だけでありません。選手の配置やグラウンドの状況、天気や気温、風などのコンディショニングも考えて、トレーニングを計画するように考えています。基本は、雨が降っても練習はしますが、気温の低い季節は行わないなど、プレーヤーのコンディショニングを第一優先で考えています。

—本書のテーマでもある、自分で考える「ラグビーIQ」について、アカデミーでの声掛けやコーチングで意識している点はありますか？

栗原コーチングリーダー…考えるという点は、本当に大事なことだと思います。考えて実行してみる、チャレンジしてみる。ゲーム後はもちろん、試合中でもそれを振り返って次のプレーをどうするか考えることは、選手の成長に必要不可欠な要素です。

自分の80％の力でプレーするのではなく、ミスしてもいいので、全力でチャレンジする姿勢で取り組みをしてもらいたいですね。失敗してわかることはたくさんあります。しかし70％や80％の力でプレーして、上手にやろうとしても成

長はありません。

そして大事にしてもらいたいのが、基本や基礎に忠実にということです。

スピアーズのトップチームはもちろん、代表や海外のチームの練習を見ていても、必ず基本や基礎の練習がメニューに入ってきます。巻頭ページにある3選手のメッセージでも基本の大切さを説いています。そして明確な夢や目標を持って取り組むこと、それがとても大切ではないでしょうか。

アカデミーの卒業生やはもちろん、本の読者ラガーマンがいつかオレンジ色のジャージを着るところができたら最高だな、と思います。ラグビーをもっと好きになって、ラグビーを長く長く続けてください。

■執筆協力
クボタスピアーズ船橋・東京ベイ
普及育成マネージャー
アカデミー代表

栗原 喬 (くりはら たかし)

1980年5月8日生まれ。
保有資格／JRFU公認S級コーチ、JRFU公認C級コーチエデュケーター、セーフティーアシスタント、日本ACLS協会BLS資格。

　高校1年生の時、兄の影響で千葉県の流通経済大学付属柏高校で本格的にラグビーを始める。高校2、3年はレギュラーとして全国高等学校ラグビーフットボール大会(花園)に出場。流通経済大学へ進学し、4年時にはラグビー部主将を務めた。大学卒業後は、クボタスピアーズに所属しスタンドオフやフルバックとして活躍。

　引退後は母校の流通経済大学でコーチのキャリアをスタートさせる。2012年シーズンよりクボタスピアーズのコーチングスタッフとなり、現在に至る。また、クボタスピアーズが行っているクボタスピアーズアカデミー(旧：U15育成プログラム)のアカデミー代表を務めている。

■写真提供　クボタスピアーズ船橋・東京ベイ

判断力を鍛える！ラグビー　IQドリル　増補改訂版
基本の戦術が身につく60問

2023年　5月30日　第1版・第1刷発行
2023年　9月30日　第1版・第2刷発行

監修者　クボタスピアーズ船橋・東京ベイ
　　　　（くぼたすぴあーずふなばしとうきょうべい）
発行者　株式会社メイツユニバーサルコンテンツ
　　　　代表　大羽 孝志
　　　　〒102-0093 東京都千代田区平河町一丁目1-8
印　刷　シナノ印刷株式会社

◎『メイツ出版』は当社の商標です。

●本書の一部、あるいは全部を無断でコピーすることは、法律で認められた場合を除き、著作権の侵害となりますので禁じます。
●定価はカバーに表示してあります。
© ギグ,2019,2023.ISBN978-4-7804-2771-4 C2075 Printed in Japan.

ご意見・ご感想はホームページから承っております
ウェブサイト　https://www.mates-publishing.co.jp/

企画担当：折居かおる/堀明研斗

※本書は2019年発行の『判断力を鍛える！ラグビー　IQドリル　基本の戦術が身につく50問』を元に、一部内容の追加と必要な情報の確認・更新を行い、「増補改訂版」として新たに発行したものです。